Papiermaché – Kunstwerke aus Altpapier

Papiermaché – Kunstwerke aus Altpapier

Birgitta Jetzek-Berkenhaus

humboldt

Freizeit & Hobby

humboldt-Paperback 967

Die Autorin:
Birgitta Jetzek-Berkenhaus ist ausgebildete Lehrerin, jetzt aber als freischaffende Künstlerin tätig. Ihre regelmäßigen Kurse zum Thema Papiermaché erfreuen sich großer Beliebtheit.

Umwelthinweis: gedruckt auf chlorfrei gebleichtem Papier

Hinweis für den Leser:
Alle Angaben wurden vom Autor und Verlag sorgfältig geprüft; dennoch kann keine Gewährleistung übernommen werden.

Umschlaggestaltung: Wolf Brannasky, München
Umschlagfotos: Fotostudio Peter Bornemann, München
Fotos und Zeichnungen im Innenteil: Birgitta Jetzek-Berkenhaus

Druck: Aprinta, Wemding
Printed in Germany
ISBN 3-581-66967-6

1 2 3 * 97 96 95

Inhalt

Papiermaché – Wir entdecken ein altes Material, eine alte Kunst

Mit der Erfindung des Papiers im 2. Jahrhundert n. Chr. entdeckten die Chinesen auch die Herstellung von Papiermaché. Papiermaché ist eine mit Wasser zu Brei verarbeitete Papiermasse, die nach dem Trocknen hart und stabil wird. Damit verliert sich die augenscheinliche Zartheit, Zerbrechlichkeit und Zerreißbarkeit des Papiers. Der feuchte Papiermachébrei läßt sich von geübten und ungeübten Händen kneten, formen, schmieren, walzen, matschen und drücken. Der Umgang mit ihm regt die Phantasie bis ins Grenzenlose an. Da Papiermachébrei mit Mitteln herzustellen ist, die in jedem Haushalt zu finden sind, ist er geeignet, Kinder und Erwachsene zu ersten Modellierarbeiten anzuregen. Kleinkinder können mit ihm herummatschen und dadurch ein Gefühl fürs Kneten und Formen entwickeln, ohne daß der teure Verlust von Knetmassen beklagt werden muß. Ältere Kinder können sich lang ersehnte Spielzeugwünsche selbst erfüllen. Sie dürfen Blumen, Tiere, Modeschmuck und Geschenke für Eltern, Geschwister und Freunde basteln. Erwachsene entdecken ihre verborgene kreative Seite beim Umgang mit diesem Material wieder, wenn dekorative Schalen, Vasen, Schmuckstücke, Blumen und Tiere entstehen. Auch lassen sich Reparaturen im Haus mit Zeitungsbrei erledigen. Eine in Scherben zerschmetterte Tonvase, an deren Form Sie weiterhin Freude haben möchten, läßt sich mit Papiermaché wieder zusammensetzen. Löcher im Putz lassen sich kitten. Ein geliebter Stuhl, an dem ein Bein eine Lehne oder ähnliches fehlt, ist noch nicht zum Ende auf dem Sperrmüll verurteilt, wenn der Papierbrei Ihre Phantasie anregt, dem alten Stuhl ein neues kunstvolles oder witziges Aussehen zu verleihen. Die getrocknete Form aus Papiermaché schlägt die nächste kreative Seite in uns auf. Das Spiel mit Farben kann beginnen. Das Kleinkind greift zu Wasser- oder Fingerfarben, um seine Freude daran zu entwickeln, eine vorgegebene, vielleicht schon selbst gestaltete Form durch Farben zu verändern. Der Erwachsene sucht selbstverständlich nach Farben, die ihm eine gewisse Haltbarkeit garantieren. Ungeahnte Möglichkeiten der Farbgestaltung eröffnen sich, je länger wir uns damit beschäftigen. Mit einfachen Tricks erzielen wir eine große Wirkung und entdecken unsere Freude am kreativen Gestalten mit Altpapier.

Papiermaché – eine kleine Materialkunde

Bevor wir mit dem Modellieren kleiner oder größerer Kunstgegenstände aus Papiermaché beginnen, bedarf es einiger Vorbereitungen, Vorkenntnisse und Tips zu diesem Material.

Papiermaché – die Rezeptur

Wollen wir erste Arbeiten mit Papiermaché ausprobieren, mit unseren Kindern kleine Gegenstände basteln oder ein wenig Brei für Reparaturarbeiten anfertigen, so stellen wir Papiermaché nach dem Rezept für kleine Mengen her. Für die Herstellung großer Objekte sollte sich der oder die bereits Geübte Papiermaché nach dem Rezept für große Mengen zubereiten. Diese können in einem verschlossenen Bottich Monate aufgehoben werden. Für beide Rezepte brauchen Sie Altpapier, Kleisterpulver und Sägemehl, das Sie sich überall dort unentgeltlich besorgen können, wo gesägt wird. Da die Druckerschwärze von Tageszeitungen abfärbt, empfiehlt es sich, alte Kleidung anzuziehen, eventuell Handschuhe und vor allem alte Töpfe und Rührgeräte zu benutzen.

Ein Rezept für kleine Mengen

Sie füllen einen alten Kochtopf mit fünf Litern Fassungsvermögen bis zum Rand mit Zeitungspapierschnipseln. Sie geben Wasser hinzu, so daß das Papier bedeckt ist, aber das Wasser nicht überkocht und bringen das Ganze zum Kochen. Mit einem alten Kochlöffel oder Rührgerät rühren Sie diese Masse vorsichtig so lange, bis sich die Zeitungsschnipsel im Wasser lösen und zerfallen. Diesen Brei lassen Sie abkühlen und schütten ihn dann auf ein im Spülbecken ausgebreitetes altes Küchenhandtuch oder in eine Stofftasche. Darin wringen Sie das Wasser aus dem Papierbrei, geben ihn in einen alten Behälter und kneten sechs Eßlöffel Kleisterpulver und gut zwei Hände voll Sägemehl darunter. Sollte der Teig jetzt zu trocken und krümelig sein, machen Sie ihn durch die Hinzugabe von etwas Wasser wieder geschmeidig. Ist er noch zu matschig, geben Sie noch etwas Kleisterpulver, Sägemehl oder gekochtes, ausgewrungenes Papier hinzu.

Ein Rezept für große Mengen

Sie füllen einen Bottich, z. B. einen in jedem Baumarkt erhältlichen Mörtelkübel mit einem Fassungvermögen von etwa 60 Litern, halb voll mit heißem Wasser und geben so viele ganze Zeitungen, Pappe oder Kartons ohne Beklebungen hinein, daß alles noch mit Wasser bedeckt ist und das Papier bzw. die Pappe sich mit Wasser vollsaugen kann. Eine Bohrmaschine mit einem Rührvorsatz dient nun als Rührgerät, womit der Brei solange gequirlt wird, bis das Papier im Wasser zerfällt. Diese Masse wringen sie am besten in kleineren Mengen (soviel wie Sie jeweils anheben können) in einem alten Kissenbezug aus. Unter den ausgewrungenen Papierbrei mischen Sie mit der Bohrmaschine anderthalb bis zwei Pakete Kleisterpulver und einen Eimer voll Sägemehl. Auch wenn es sehr anstrengend ist, muß der Teig jetzt gut durchgemischt werden, um eine gute Modelliermasse zu erhalten.

Vorbereitungen und Ratschläge für das Modellieren

Ob der Teig zu trocken oder zu naß ist, spielt für das Ergebnis keine Rolle. Doch kann ein zu trockener oder zu matschiger Teig das Modellieren sehr erschweren. Deshalb sollten Sie vorher ausprobieren, wie Sie am besten mit dem Teig arbeiten können. Kinder arbeiten nach meinen Erfahrungen am liebsten mit einem stark klebenden Teig, der sich durch Hinzufügen einer Extraportion Kleisterpulver herstellen läßt. In bestem Zustand befindet sich der Teig, wenn sich eine Kugel zwischen beiden Händen so hin- und herrollen läßt, daß eine Wurst entsteht. Hilfreich ist auch eine Schüssel mit Wasser, in dem Sie während des Modellierens immer mal wieder Ihre Hände anfeuchten können, um die gerade geformte Oberfläche zu glätten.

Das Modelliermesser

Eines der wichtigsten Hilfsmittel beim Modellieren ist ein kleines Küchenmesser, das Ihnen als Modelliermesser dient. Sie benötigen es, um Übergänge zwischen zwei zusammengefügten Teilen zu verbinden, zum Beispiel um Blütenköpfe auf ihre Stengel oder Insektenflügel an den Körper zu setzen. Durch regelrechtes Verschmieren bewahren Sie die Teile davor, daß sie nach dem Trocknen wieder auseinanderfallen. Risse und Löcher lassen sich leichter ausgleichen als mit den Fingern.

Oberflächenstrukturen

Das Modelliermesser ist auch für das Formen von Gesichtern oder einfachen Strukturen, wie Streifen, Kerben oder Löcher sehr hilfreich. Andere Gegenstände, wie Schlüssel, Schrauben, Muttern, Schaschlikspieße, Maschinenteile und Rädchen aus alten kaputten Geräten, Ausstechformen und Sandkastenförmchen machen das Modellieren interessant und abwechslungsreich. Sie drücken einfach die vorgefundene Form in die geglättete Oberfläche Ihrer Arbeit und erhalten so interessante Oberflächenstrukturen, die nach dem Trocknen beim Anmalen ihre besondere Berücksichtigung finden.

Glatte Oberflächen

Beim Trocknen von Papiermaché verdunstet das Wasser, das wir brauchten, um das Altpapier zu einem Brei verarbeiten zu können. Darum zieht sich die Masse während des Trocknens zusammen und die Oberfläche wird schrumpelig. Besonders Kinder sind bisweilen sehr enttäuscht von ihren mühsam hergestellten, in nassem Zustand glatten, glänzenden Werken, wenn sie unbeabsichtigte Hubbel und Risse erhalten. Bisweilen krümmen sich auch Teile in Richtungen, die wir nicht eingeplant haben. Ganz enttäuschend sind natürlich abgefallene Köpfe, Arme, Beine, Blüten, Blätter, Flügel und vieles mehr. Das ist der Zeitpunkt, wo schon so mancher angehende Papiermachékünstler seine Berufung an den Nagel gehängt hat, vor allem Kinder lassen sich durch solche Ergebnisse schnell entmutigen. Folgende Möglichkeiten gibt es, das verschrumpelte, krumme, in Teile zerfallene Werk nach unseren Vorstellungen zu glätten und zu richten:

- Dicke, unansehnliche Knubbel können mit einem scharfen Messer weggeschnitzt werden.
- Mit Schmirgelpapier werden leichte Erhebungen geschliffen, was aber sehr mühsam und zeitaufwendig ist.
- Für große umfangreiche Arbeiten empfehle ich elektrische Schleifgeräte, wie Bandschleifer und Schleifvorsätze für kleine Modellbaubohrmaschinen. Damit lassen sich auch noch in die trocknen Arbeiten dekorative Strukturen und Gesichter schleifen.
- Da das Schleifen zwar schnell, doch sehr staubig ist und Energie verbraucht, halte ich es für die beste Methode, Oberflächen zu glätten, indem man die trockenen Formen noch einmal mit einer dünnen Schicht von Papiermachébrei überzieht. Das trocknet schnell. Die Eigenschaft des Papierbreis, sich während des Trocknens zusammenzuziehen, ist gerade der Vorteil dieser Methode, da sich nun die Schicht über die ganze Oberfläche spannt und ebenmäßig wird. Löcher und Risse werden verschmiert, Dellen werden gefüllt und Rundungen vollendet. Danach können letzte Unebenheiten leicht mit Schmirgelpapier behoben werden.

Teile, die auseinandergefallen sind, fügen Sie ebenfalls mit feuchtem Papiermaché wieder zusammen, indem Sie etwas auf die aneinanderstoßenden Enden geben, beide zusammenfügen, gut verschmieren und großzügig, am besten den ganzen Körper einschließlich der zusammengefügten Stelle mit Papiermaché überziehen. Unbeabsichtigte Verformungen während des Trocknens brechen Sie einfach auf und fügen Sie nach der eben beschriebenen Methode neu wieder zusammen. Soll ein Körper eine hohe Stabilität und Festigkeit erhalten, müssen Sie das Überziehen mit Papiermaché nach dem Trocknen mehrmals wiederholen.

Die Verarbeitung von allerlei Krimskrams

Ein besonderer Reiz an der Arbeit mit Papiermaché liegt darin, daß wir diese Masse aus Altpapier selbst herstellen können. Wir geben diesem damit eine Wertschätzung, die es vor seiner problematischen Vernichtung bewahrt. Da Papiermaché an der Luft trocknet, nicht gebrannt werden muß, aber trotzdem auch schon im feuchten Zustand im Gegensatz zu Gips ein recht fester Stoff ist, kann damit auch noch anderes Abfallmaterial verarbeitet und damit unser Müllberg abgebaut werden.

Kleine Fundsachen verschönern die Papiermachékunst

Kennen Sie auch die Freude an wertlosen Fundstücken, die Sie gesammelt und letztendlich doch fortgeworfen haben, weil Sie nichts

damit anfangen konnten? Zu solchen Fundstücken gehören Muscheln, verlassene Schneckenhäuser, hübsche Steine, Perlen, Glas-, Porzellan- und Spiegelscherben, Bildausschnitte, Stoffreste, Murmeln, alte wertlose Armbanduhren, Federn, Krebse, Büroklammern, Knöpfe, alte Schlüssel und Schlösser, Schraubverschlüsse von Tuben und Flaschen, Deckel, Döschen, Parfumfläschchen, Korken, kleines Spielzeug und noch vieles mehr.
All diese wertvollen Dinge dürfen Sie nun wieder sammeln oder sammeln lassen. Kinder haben eine große Freude daran, insbesondere wenn sie feststellen, daß ihre Kostbarkeiten in Kunstwerken Ihrer Eltern eine besondere Wertschätzung finden. Diese Fundstücke werden einfach in die Oberfläche der noch feuchten Papiermachéarbeit gepreßt, wobei die Übergänge mit dem Modelliermesser gut verschmiert werden müssen, damit die eingearbeiteten Kostbarkeiten nach dem Trocknen nicht herausfallen. Doch auch dann können sie ohne weiteres noch einmal mit feuchtem Papiermaché befestigt werden.

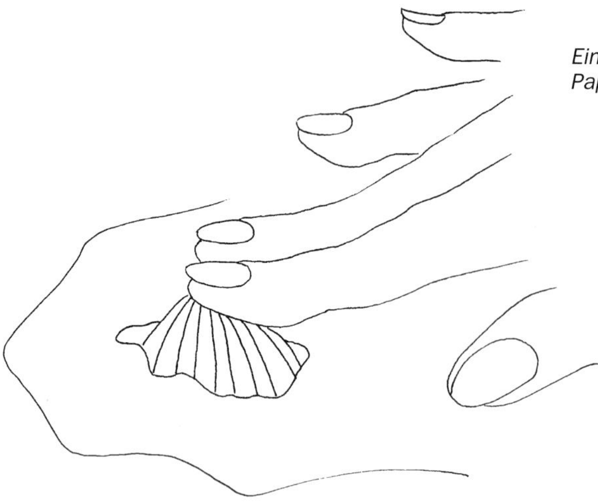

Eine Muschel wird in den Papiermachéteig gepreßt.

Mit dem Modelliermesser werden die Übergänge gut verschmiert.

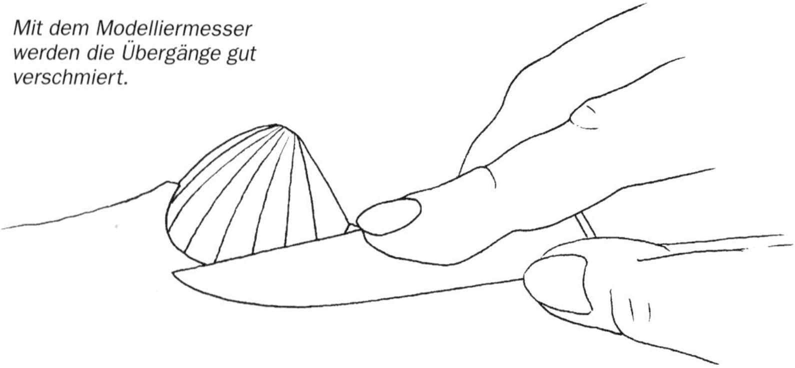

Formen verkleiden

Ihre Sammelleidenschaft können Sie auch noch auf Dinge ausdehnen, deren Form Sie schön finden, die aber in ihrem ursprünglichen Zustand wegen ihres Materials oder ihrer Farbe nicht dekorativ sind, wie z. B. Spülmittelflaschen. Sie können zu ganz neuen dekorativen Gegenständen verarbeitet werden, indem Sie sie im Papiermaché verschwinden lassen.

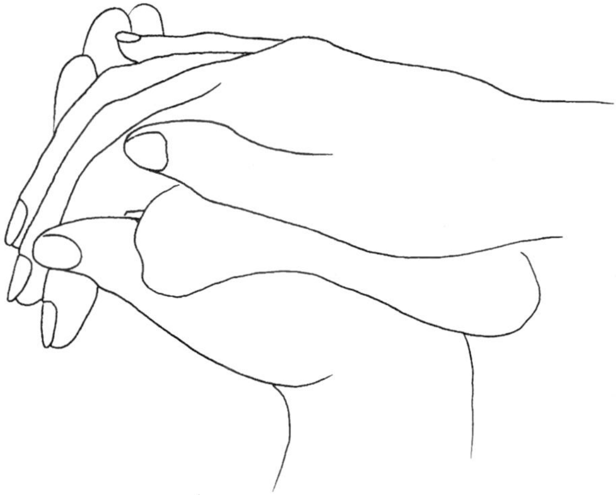

Sie pressen zwischen Ihren Händen einen Kloß Papiermaché zu einer möglichst dünnen Scheibe platt.

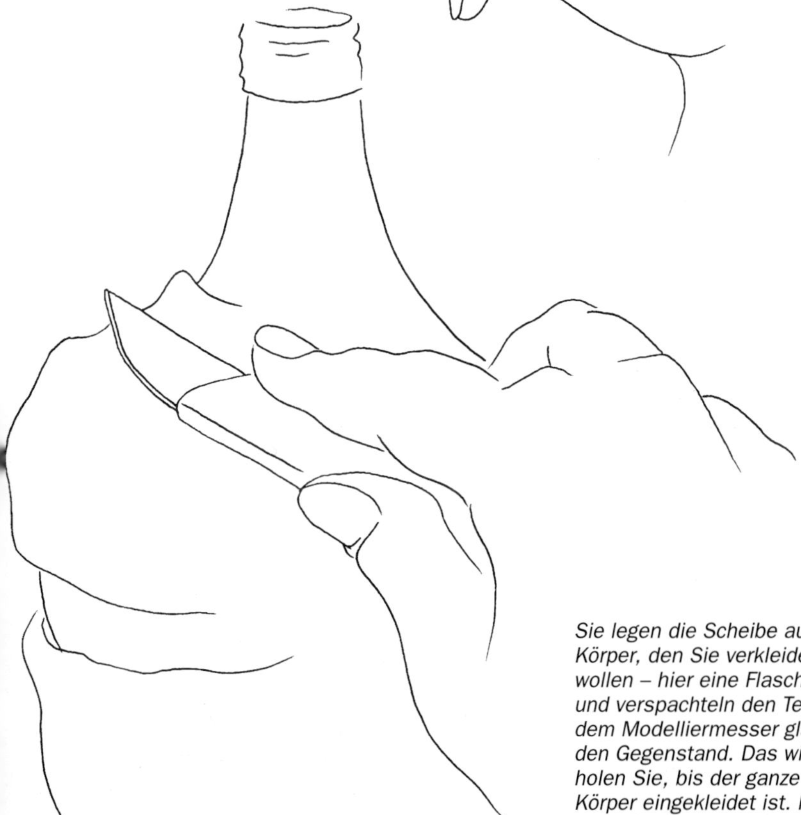

Sie legen die Scheibe auf den Körper, den Sie verkleiden wollen – hier eine Flasche – und verspachteln den Teig mit dem Modelliermesser glatt auf den Gegenstand. Das wiederholen Sie, bis der ganze Körper eingekleidet ist. Risse und Löcher werden mit dem Messer glattgestrichen.

Für diese Verkleidungen sammeln Sie Tennisbälle, aus denen dekorative Kugeln entstehen, Glühbirnen für Papiermachébirnen, Glas- und Plastikflaschen sowie Marmeladengläser und Dosen für Vasen, Äste und Zweige für Blumenstengel, Cremedosen, unansehnliche Möbelstücke und altes Spielzeug, aus dem Sie wunderschöne Skulpturen zaubern können. Auch in Scherben gegangene Gefäße wie z. B. die oben abgebildetete ehemalige Tonvase können Sie mit Hilfe der Einkleidetechnik wieder zusammensetzen. Sie kann dann noch für Trockenblumen oder Papiermachéblumen gebraucht werden.

Das Trocknen von Papiermaché

Papiermaché trocknet an der Luft. Wir brauchen dafür Zeit und damit auch Geduld. Über die Trockenzeit kann grundsätzlich keine genaue Vorhersage gemacht werden, da sie vom Wassergehalt des Papiermachébreis, von der Luftfeuchtigkeit und der Temperatur abhängig ist. Heiße, trockene Luft ist selbstverständlich die beste Bedingung für schnelles Trocknen. Die ist im Sommer bei Sonnenschein und im Winter in trockenen Räumen an der Heizung gegeben. Es ist durchaus möglich, kleine Teile auch im Backofen zwischen 50° und 80° zu trocknen. Doch auch das braucht seine Zeit, da die Luft im Backofen durch das Verdunsten des Wassers nach kurzer Zeit mit Feuchtigkeit gesättigt ist. Dann müssen Sie die Teile zum Lüften herausnehmen und nach einer Zeit weitertrocknen lassen. Insgesamt ist der Stromverbrauch dabei so hoch, daß ich von dieser Methode abrate. Die aus Papiermaché geformten Teile legen Sie am besten auf ein mit Zeitungen ausgelegtes Brett oder Backblech, auf dem Sie Ihre Arbeiten in dem noch empfindlichen feuchten Zustand bequem zu warmen Plätzen transportieren können. Wenn nach dem Trocknen die Teile an der Zeitung festkleben, lassen Sie sie ruhig daran und reißen sie nur rundherum ab. Das Trocknen von Papiermaché ist gleichzeitig ein Gestaltungsvorgang. Das bedeutet, daß in dieser Zeit die Formbarkeit dieser noch feuchten Modelliermasse ausgenutzt werden kann, um der Arbeit eine gewünschte Richtung, Neigung oder Wölbung zu geben. Lange Papiermachéwürste können z. B. zu Kringeln, Halbkreisen, Buchstaben, Schleifen oder Zahlen gelegt werden. Mit einer befeuchteten Nudelrolle lassen sich große Teiglappen auswalzen, die Sie zum Trocknen um Rollen wickeln, über zerknülltes Zeitungspapier oder andere Formen legen können.

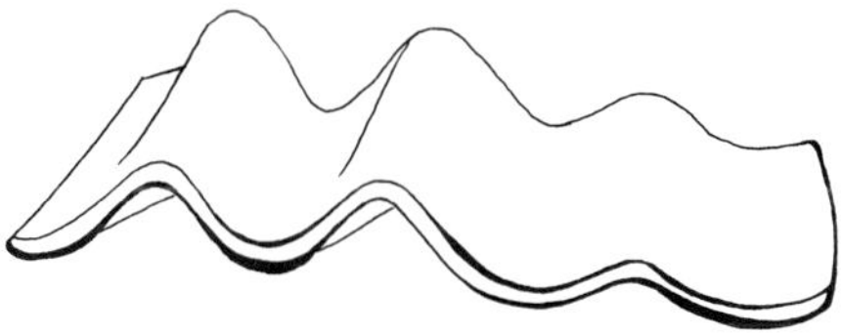

Eine in Wellen gelegte Teigplatte.

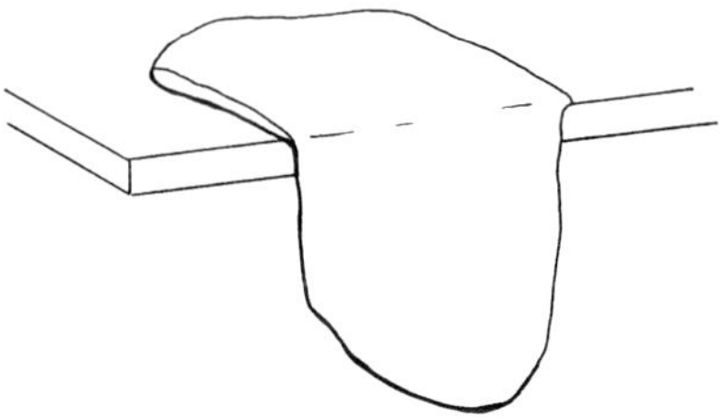

Ein Teiglappen wird einfach zum Trocknen über eine mit Zeitungspapier ausgelegte Tischkante gelegt.

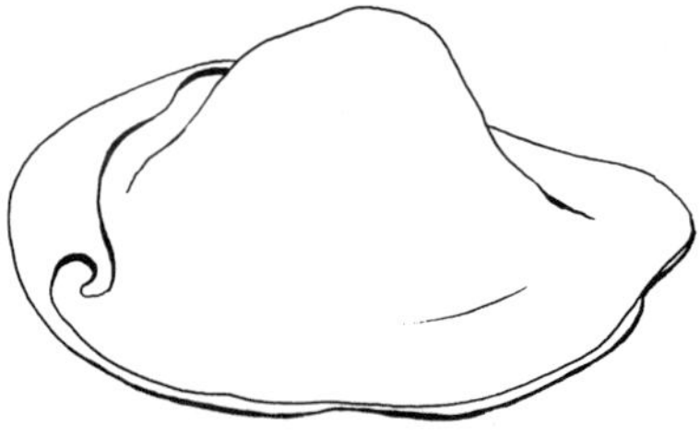

Unter der Teigplatte liegt in der Mitte ein aus zusammengeknautschtem Zeitungspapier geformter Ball. So entstand z. B. die blaugelbe Schale, abgebildet auf Seite 40 unten.

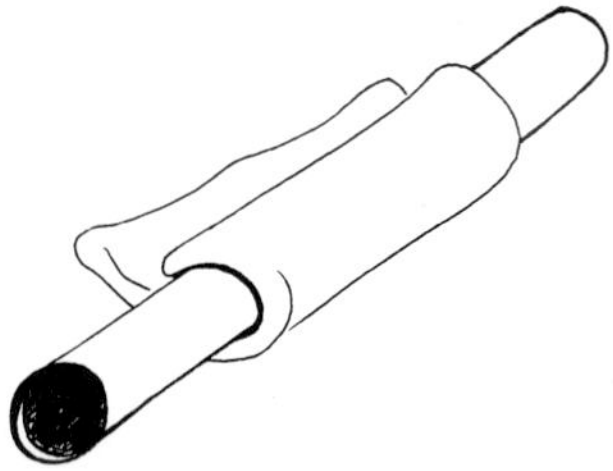

Hier ist der ausgerollte Teig um eine Papprolle gelegt, woraus zum Beispiel die auf Seite 33 abgebildete Vase hergestellt worden ist.

Geknautschtes Zeitungspapier dient während des Trocknens als Stütze für Köpfe und Glieder kleiner Tiere.

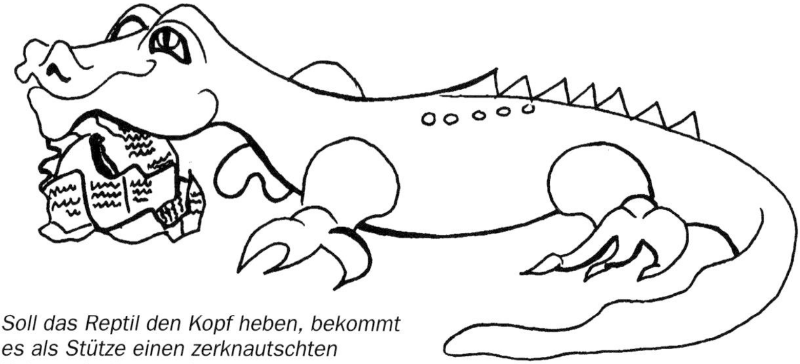

Soll das Reptil den Kopf heben, bekommt es als Stütze einen zerknautschten Zeitungsball unter den noch nassen Kopf gelegt.

Das Kriechtier soll einen Buckel und lange Beine machen. Darum wird es während des Trocknens unter dem Bauch abgestützt.

Eine andere Art der Gestaltung während des Trocknens ergibt sich aus der Möglichkeit, nasse Papiermachéteile mit Garn oder Klebeband an- oder zusammenzubinden, was von den fertigen Figuren wieder gelöst werden kann. Auch können Sie feuchte Teile anlehnen, um ihnen eine gewünschte Form zu geben. Größere Teile werden mit Brettern oder Latten abgestützt. Schalen, die während des Trocknens eigenartig oval zu werden drohen, geben Sie die runde Form zurück, indem Sie sie innen mit schmalen auf Maß geschnittenen Latten abstützen.

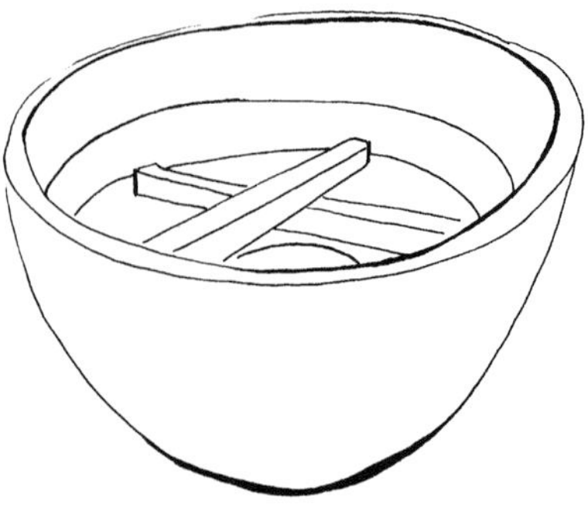

Wenn Sie ganz ohne Hilfskonstruktionen Figuren mit Extremitäten modellieren wollen, so empfiehlt es sich, diese in Einzelteilen zu arbeiten. Finger, Handteller, Unterarm, Oberarm, Rumpf, Hals, Kopf, Beine, Zehen und Fußrücken werden erst nach dem Trocknen mit feuchtem Papiermaché zusammengesetzt. Wenn Arme und Beine an den Rumpf gearbeitet sind, sollte die Figur möglichst im Liegen trocknen.

Füße für Papiermachéfiguren

Eine Problem, das sich nach dem Trocknen für die Papiermachéfiguren ergibt, ist deren Standfestigkeit. Die schönsten Arbeiten verlieren ihren Reiz und bringen uns zur Verzweiflung, wenn sie ständig umkippen. Deshalb müssen wir sie auf einen stabilen Fuß stellen. Dafür sägen wir passend zur Größe der Figur Bretter möglichst aus Holzresten, die es in Baumärkten mit Holzzuschneideabteilungen gibt. Für kleine Arbeiten reichen auch schon Bauklötze. Wir schrauben, nageln oder kleben die trockene Skulptur darauf und überziehen danach den Fuß mitsamt dem unteren Teil der Papiermachéfigur mit einer Schicht Papiermaché. Bei kleineren Figürchen überziehen wir den Fuß zunächst mit Papiermaché, stellen sie dann darauf und verschmieren die Übergänge zwischen Fuß und Figur mit dem Modelliermesser. Selbstverständlich ist es auch möglich, die Papiermachéarbeit nur auf ein schönes Brett zu schrauben, ohne es hinterher noch mit Papierbrei zu kaschieren. Weitere Möglichkeiten, eine Verbindung zwischen Fuß und Figur herzustellen, beschreibe ich in der Anleitung zur Herstellung langbeiniger Vögel. Für schöne Füße können Sie auch noch nach anderen Materialien Ausschau halten als nur nach Holzresten. Schwere, ebenmäßig runde Füße ergeben alte, mit Papiermaché überzogene Bratpfannen, von denen zuvor der Stiel abgeschraubt wurde. Alte Teller, Blumentopfuntersetzer, Frühstücksbretter, alte runde Blechtabletts, Schieferplättchen, Steine und Glasschälchen mit Sprung sind nur einige Dinge, die Sie in Ihre Fußsammlung aufnehmen können.

Die getrockneten Papiermachéformen – Schutz und Farbgebung

Da Papiermaché hauptsächlich aus Zeitungspapier besteht, ist es aufgrund der darin enthaltenen Druckerschwärze grau. Diesen charakteristischen Grundton weisen auch die getrockneten Gegenstände aus diesem Material auf.
Haben wir durch das Modellieren eine schöne Form mit einer interessanten Oberflächenstruktur erhalten, so kann das unscheinbare Grau sehr attraktiv sein, da es das Auge nicht von der Form ablenkt.

Farblose Formen und ihr Schutz

Schutz vor Schmutz und Wasser erhalten farblose Figuren, wenn wir sie in Leinöl baden. Lassen Sie sie darin ruhig eine Zeit liegen, damit sie richtig durchziehen. Sind die Figuren zu groß zum Baden, pinseln Sie sie mit einem dicken Pinsel mehrmals damit ein. Wenn sie danach in trockener, heißer Luft stehen, härten sie gut durch und erhalten noch weitere Stabilität.

Modeschmuck, wie Fingerringen und Armreifen sollten Sie ein solches Leinölbad mit anschließender guter Trockenzeit vor dem Anmalen gönnen, da sie danach wesentlich härter und stabiler sind. Klarlack oder Flüssigwachsreiniger sind ebenfall geeignete Schutzmittel, mit denen Sie die farblosen Figuren behandeln können.

Die farbige Gestaltung von Papiermaché und ihr Schutz

Eine besondere Herausforderung an unsere kreativen Möglichkeiten stellt die farbige Gestaltung der modellierten Formen dar. Hier sind uns keine Grenzen gesetzt. Deshalb möchte ich auch nur Anregungen, Tips und einen Überblick über die Möglichkeiten, jedoch keine genauen Anleitungen zum Anmalen geben; denn ich bin überzeugt, daß Ihre Ideen nur so sprudeln werden, wenn Sie mit dem Anmalen beginnen.

Die Verarbeitung von Farbpigmenten

Farbpigmente, das sind Farbpulver, können Sie in Fachgeschäften für Künstlerbedarf in allen nur erdenklichen Tönen erwerben. Sie können sich aber auch selbst welche aus schwarzer Holzkohle, weißem Kalk, rotem Ton oder brauner Erde herstellen, indem sie diese Materialien mit einem Mörser zu feinem Pulver zerstoßen. Wenn Sie die Pigmente unter den Papiermachéteig mengen, nimmt er die entsprechende Farbe an, und das Grau verschwindet, je nachdem wieviel Pigment Sie hinzugeben.

Mit Farben bemalen

Papiermaché läßt sich wie Papier mit allen uns zur Verfügung stehenden Farben bemalen. Im folgenden möchte ich kurz einige Farben und Techniken sowie ihre jeweiligen Vor- und Nachteile beschreiben, damit Sie sich selbst ein Urteil darüber bilden können, was Ihnen an Möglichkeiten zur Verfügung steht und mit welchen Farben Sie am liebsten arbeiten möchten.

Die Grundierung

Gleichgültig, mit welchen Farben wir letztendlich unsere Figur anmalen, sollten wir sie zuvor mit weißer Dispersionsfarbe grundieren. Dadurch wird sie wasserresistent, erhält zusätzliche Stabilität und die Farben erscheinen darauf leuchtender und kräftiger als auf dem matten Grau. Wer unsicher ist, ob er ein Motiv direkt mit Farben aus der Hand aufmalen kann, kann auf den getrockneten weißen Grund die Konturen mit einem Bleistift vorzeichnen.

Wasserfarben

Da wohl in vielen Haushalten Wasserfarben vorhanden sind, werden Kinder und erwachsene Anfänger ihre ersten Papiermachéarbeiten damit anmalen. Vom fortgeschrittenen Künstler werden natürlich andere Farben, wie Aquarell- oder Gouachefarben benutzt, die lichtecht, aber wesentlich teurer sind. Diese Farben eigenen sich für das Aufmalen von kleinen feinen Motiven mit vielen Farbnuancen. Ihr Nachteil ist, daß sie wasserlöslich sind und auch noch nach dem Trocknen leicht verwischt werden können. Darum müssen sie abschließend zum Schutz noch mit Klarlack übersprüht werden.

Acrylfarben

Acrylfarben sind in nassem Zustand dickflüssige Farben, die nach dem Trocknen nicht mehr mit Wasser gelöst werden können, d. h. wasserresistent sind. In nassem Zustand können sie mit Wasser verdünnt werden und sind dann auch noch auswaschbar. Darum müssen Pinsel immer direkt nach Benutzung dieser Farben ausgewaschen werden. Ein Kittel oder eine Schürze schützt Ihre Kleidung vor eventuellen Flekken von diesen stark kleckernden Farben. Wir kennen diese als Dispersionsfarben, die im Baumarkt günstig zu erwerben sind. Leider decken sie nicht so gut wie die Acrylfarben, die im Fachhandel für Künstlerbedarf wesentlich teurer angeboten werden. Die Investition lohnt sich, wenn Sie ein Kunstwerk von bleibendem Wert anmalen möchten. Aus Farbpigmenten und einer Acrylemulsion können Sie solche Farben auch selbst herstellen. Deckkräftig, jedoch eine Farbnuance heller werden Dispersionsfarben, wenn Sie sie mit einem Schuß Weiß mischen. Damit verliert sich die knallige Leuchtkraft der Farben und sie bekommen einen eher pastellfarbenen Charakter, was durchaus auch reizvoll sein kann.

Für die Arbeit mit Acrylfarben ist es ratsam, Deckel von Marmeladengläsern zu sammeln.Da die Farben getrocknet nicht mehr zu gebrauchen sind, sollten Sie aus den großen Behältern kleine Kleckse in die Deckel geben, wo Sie sie dann auch untereinander mischen können. Stellen Sie zwei bis drei Marmeladengläser mit Wasser bereit, worin Sie immer wieder ihre Pinsel auswaschen können. Mit einem alten Lappen werden sie abgetrocknet, denn nasse Pinsel verwässern die Farben und nehmen ihnen die Deckkraft. Sauberes Arbeiten ist dann möglich, wenn Sie für jede Farbe einen Extrapinsel bereit halten, damit die hellen Farben nicht von Resten dunkler Farben verschmutzt werden. Waschen Sie die Pinsel für helle Farben nicht in dem Wasserglas aus, in dem Sie die dunklen Farben waschen.

Acrylfarben lassen sich am besten mit Borstenpinseln, die Sie in verschiedenen Stärken zur Verfügung haben sollten, auftragen. Wegen ihrer Dickflüssigkeit lassen sich mit diesen Farben die Motive nicht so fein und nuanciert bearbeiten wie mit Wasserfarben.

Die trockenen Acrylfarben sind wasserresistent, doch nicht stoßfest, d. h. sie nehmen leicht Schrammen an und geben bei Reibung mit anderen harten Gegenständen Farbe ab. Deshalb sollten Sie zum Schutz entweder mit Klarlack oder Flüssigwachs überzogen werden. Das erhalten Sie in der Putzmittelabteilung als Bodenreiniger. Er wird pur mit einem Pinsel aufgetragen. Kleine Teile können auch ein Bad darin nehmen.

Ölfarben

Eine gut schützende, teure Farbschicht erhalten Ihre Papiermachéarbeiten, wenn Sie sie mit Ölfarben bemalen. Diese können Sie wiederum im Fachhandel für Künstlerbedarf erwerben oder sich mit Leinöl und Farbpigmenten selbst anmischen. Das Gemisch sollte möglichst cremig sein. Verdünnen lassen sich die Farben mit Terpentinersatz, womit auch die Pinsel gereinigt werden. Ein Lappen und mehrere Pinsel verschiedener Stärken, mindestens einen für jede Farbe, sowie Marmeladengläserdeckel für die Farbkleckse sollten als Arbeitsutensilien bereit liegen.
Die Papiermachéarbeit sollte mit Dispersionsfarbe und anschließend mit Leinöl eingestrichen sein, bevor Sie mit dem Auftrag der Ölfarben beginnen. Diese Farben sind sehr haltbar, wasserresistent und stoßfest. Sie brauchen jedoch eine lange Trockenzeit und es erfordert deshalb viel Geduld, mit Ihnen zu arbeiten. Außerdem verbreitet das Verdünnungsmittel in der näheren Umgebung Ihres Arbeitsplatzes einen intensiven Geruch, der auf ungesunden Dämpfe hinweist. Deshalb rate ich dringend davon ab, Kinder mit diesen Farben arbeiten zu lassen.

Sprühfarben

Eine letzte Möglichkeit der Farbgestaltung, die ich Ihnen vorschlagen kann, ist die Arbeit mit der Spraydose oder, falls vorhanden, einem Airbrushgerät. Damit lassen sich Farben schnell auf große Flächen verteilen. Doch können Sie mit Sprühfarben nur in eigens dafür ausgelegten, gut durchlüfteten Räumen oder draußen arbeiten. Sie sollten dabei immer eine Atemmaske tragen.
Außerdem kann diese Methode des Farbauftrags beim Herausarbeiten von mehrfarbigen Motiven wesentlich arbeitsintensiver werden als der Auftrag mit dem Pinsel. Sie sprühen zunächst ihre vorgestrichene Papiermachéarbeit mit einem möglichst hellen Grundton ein und lassen diese Farbschicht gut durchtrocknen. In der Zwischenzeit schneiden Sie Motive wie Blumen, Herzen, Sterne, Dreiecke, Kreise, Fische, Boote, Schmetterlinge oder Vögel aus breiten Tesakreppstreifen oder einer Klebefolie aus. Vielleicht finden Sie das eine oder andere Motiv auch fertig in den Stickeralben Ihrer Kinder. Diese kleben Sie auf die getrocknete erste Farbschicht und übersprühen das Ganze nun mit einem anderen Farbton. Dieses Verfahren können Sie beliebig mit anderen Motiven und weiteren Farbtönen fortsetzen. Wenn Sie Ihre Freude daran entdecken, finden Sie in Fachbüchern über Airbrush weitere Anregungen und genauere Anleitungen zu dieser Technik.

Wenn Sie wollen, drehen Sie das Buch um und zeichnen einige Motive ab. Es muß nicht genau sein. Sollten Sie dabei Schwierigkeiten haben, fertigen Sie sich eine Schablone Ihres bevorzugten Motivs an, indem Sie es zunächst mit Pauspapier, auf Pergamentpapier, vor der Fensterscheibe oder mit dem Fotokopierer für sich vervielfältigen und dann ausschneiden. Mit dem Fotokopierer haben Sie zudem die Möglichkeit, die Motive nach Wunsch zu vergrößern oder zu verkleinern. Auf Seite 76 finden Sie auch eine Anleitung, wie Sie ein Motiv zeichnerisch vergrößern können.

Einfache Anregungen zur farbigen Gestaltung

Gleichgültig, mit welcher Art Farbe Sie malen, können Sie im folgenden noch einige Tricks, Tips und Ratschläge erfahren, die eine einfache, aber sehr wirkungsvolle Gestaltung ermöglichen. Gerade wenn Sie mit Kindern arbeiten, sollten Sie Ihnen die Ideen dieses Kapitels vermitteln, denn ihre kreative Kraft wird geweckt, wenn ihnen einfache Wege mit großer Wirkung gezeigt werden. Mit einem Q-Tip, dem stumpfen Ende eines Holzschaschlikspießchen oder einem Zahnstocher stempeln Sie gleichmäßige, unterschiedlich große Punkte. Auf dicke Punkte mit Q-Tip stempeln Sie zum Beispiel kleine Pünktchen mit dem Zahnstocher. Lassen Sie Ihre Farbschichten in feinen Abstufungen nebeneinander oder übereinander erscheinen. Wählen Sie z. B. einen allmählichen Übergang von den Farben Hellgelb, Gelb über Orange und Zinnoberrot zu Weinrot, Lila, Blau und Türkis zu Grün und Hellgrün. Das verleiht Ihren Arbeiten eine erstaunliche Plastizität und Tiefenwirkung. Unregelmäßige Übergänge zwischen zwei Farbflächen können Sie mit Linien kaschieren, die Sie als Konturen um die verschiedenen Farbflächen malen. Gold- und Silberlackstifte sowie wasserfeste Folienstifte erleichtern diese letzten Verfeinerungen. Mit regelmäßigen, parallelen Linien überzogene Farbfelder bilden einen wirkungsvollen Kontrast zu schwarzen oder weißen Flächen. Quadrate, Kreise, Wellen, Karomuster, Dreiecke bringen Abwechslung und Lebendigkeit. Einfache Motive wie Herzen, Sterne, Räder, Kreise, Fische, Blumen, Bäume, Häuser, Boote, Vögel, Fenster, Tische, Stühle, Schuhe, Autos, Uhren, Hüte usw. verbreiten eine ansteckende Freude und Fröhlichkeit.

Papiermaché – Anleitungen zur Herstellung kleiner Kunstwerke

Nachdem wir uns im ersten Teil dieses Buches mit dem Material, das wir für unsere Kunstwerke brauchen theoretisch vertraut gemacht haben, wollen wir nun anfangen, damit zu arbeiten. Die verschiedenen Anleitungen im folgenden Teil sind so angelegt, daß zunächst in einfachen Schritten eine Grundfigur erklärt wird. Diese kann vom ungeübten Anfänger, insbesondere auch von Kindern nachgearbeitet werden. Danach werden zu jedem Thema schwierige Variationsmöglichkeiten entwickelt, die die vielfältigen Möglichkeiten aufzeigen, mit Papiermaché zu arbeiten. Diese sollen zu weiteren eigenen Ideen anregen und die Freude an der kreativen Gestaltung mit Altpapier und anderem Hausmüll wecken.

Blumen

Nicht nur zur Dekoration der eigenen Wohnung, sondern auch als Mitbringsel zu allen Gelegenheiten sollten Sie sich einen kleinen Blumenvorrat aus Papiermaché anfertigen. Das ist gleichzeitig auch eine wunderbare Übung, um ein wenig Fingerspitzengefühl für das Modellieren mit Papiermaché zu entwickeln.

Kleine Blumen

Sie brauchen Schaschlikspieße aus Holz, ein Modelliermesser, ein leeres Marmeladenglas und einen geschmeidigen, gut klebrigen Papiermachéteig, den Sie sich nach dem Rezept auf Seite 8 herstellen.

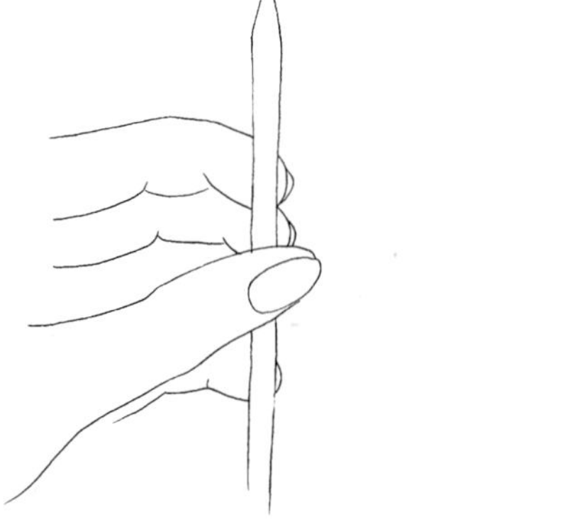

Sie formen aus Papiermaché eine Kugel von 1 bis 2 cm Durchmesser und setzen sie auf die Spitze des Holzstäbchens.

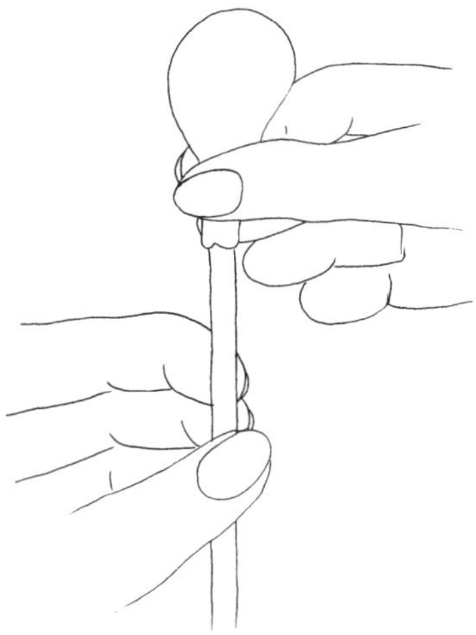

Sie drücken am unteren Teil der Kugel den Papiermachéteig an das Holzstäbchen und streichen die Übergänge glatt.

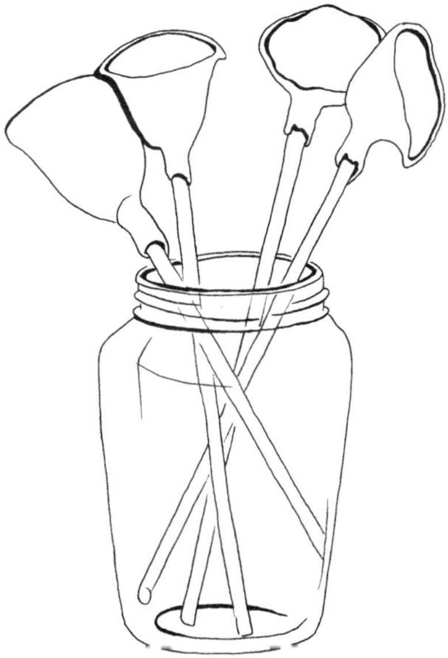

Die fertigen Blumen stellen Sie zum Trocknen in ein Glas.

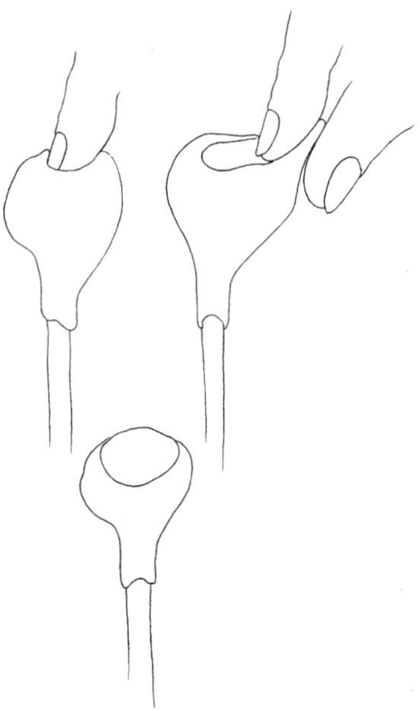

Sie bohren oben oder an der Seite der Kugel, je nachdem, wie Sie die Blütenkelchneigung haben möchten, mit dem Zeigefinger vorsichtig eine Vertiefung in die Kugel. Zwischen Daumen und Zeigefinger drücken Sie die Ränder dieser Vertiefung möglichst platt und verstreichen dabei die sich bildenden Risse.

Haben Sie nach dieser Anleitung Ihre ersten Blumen geformt, können Sie die Blütenköpfe selbstverständlich nach Belieben variieren. Mit Ausstechförmchen lassen sich einfache Motive wie Blumen, Herzen, Sterne und Vögel ausstechen, in die Sie vorsichtig von unten die Schaschlikspieße bohren, die Übergänge gut verschmieren und zum Trocknen hinlegen. Weitere Ideen für die Gestaltung von Blütenkelchen entnehmen Sie der folgenden Zeichnung und den auf dem Foto Seite 26 abgebildeten Blumen.

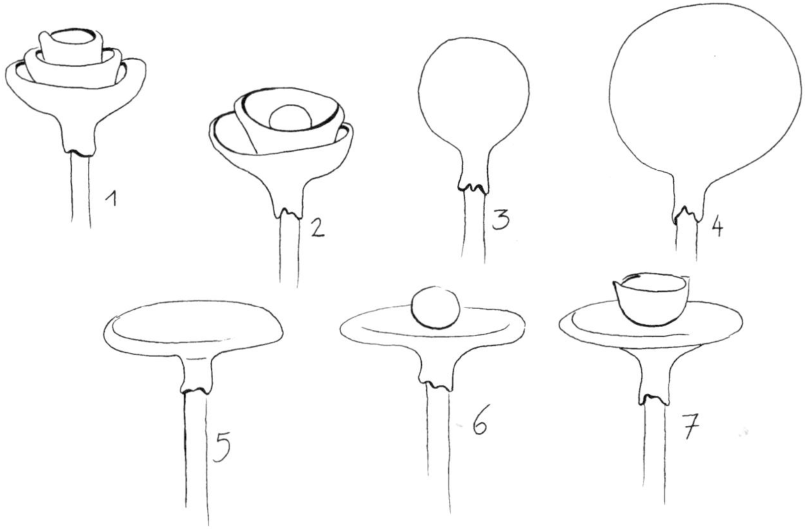

1. Sie setzen zwei bis drei Kelche ineinander. 2. Sie drücken eine kleine Kugel in die Mitte des Kelches.3. Sie lassen einfach eine Kugel als Blütenkelch stehen. 4. und 5. Sie drücken die Kugel zu einer Scheibe platt, die Sie einmal von oben, einmal von der Seite aufsetzen. 6. Sie schmücken die Scheibe in der Mitte mit einem Kügelchen. 7. Das Kügelchen wird mit dem Finger eingedrückt.

Fast echt wirken die kleinen Papiermachéblumen, wenn wir ihre Stiele noch mit kleinen Blättern versehen.

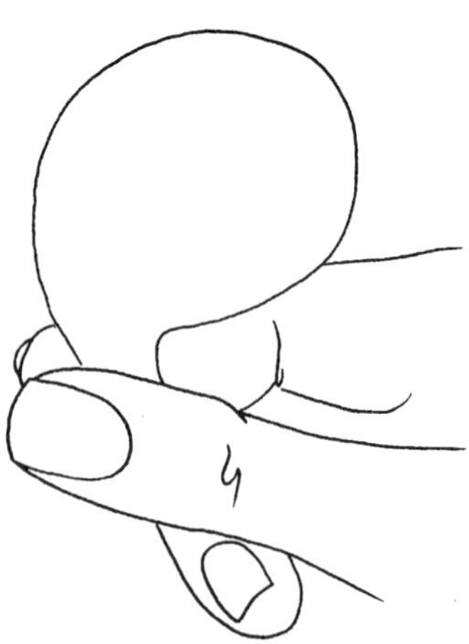

Sie formen eine Kugel von 1 bis 2 cm Durchmesser und drücken sie zu einer Scheibe platt. Die Scheibe verjüngen Sie mit Daumen und Zeigefinger zu einem Blattstiel.

Diese Grundform eines Blattes können Sie nun nach eigener Phantasie oder den auf folgender Zeichnung vorgeschlagenen Variationsmöglichkeiten verändern. Die Kerben gestalten Sie mit dem Modelliermesser oder einem Schaschlikspießchen.

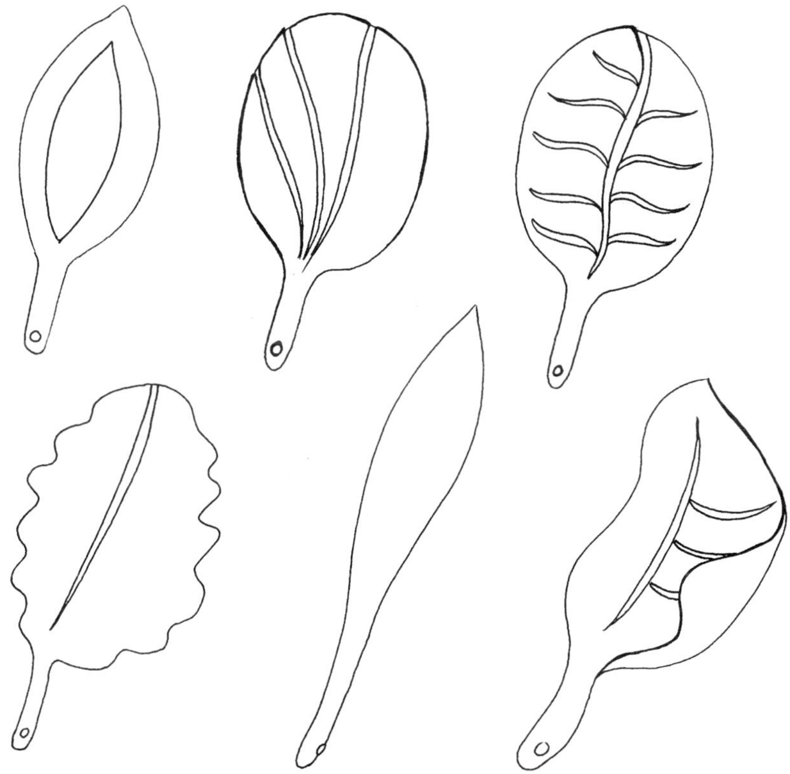

Schließlich bohren Sie mit einem Holzstäbchen ein Loch in das Stielende des Blattes und lassen es trocknen.

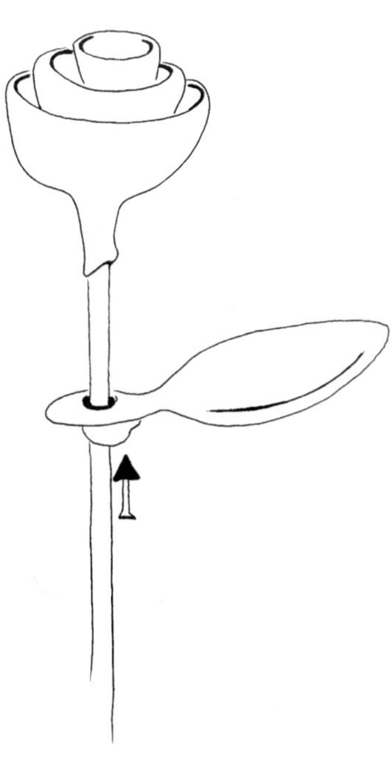

Nach dem Trocknen ziehen Sie das Blatt auf den Stiel Ihrer Blume und befestigen es von unten mit einem kleinen Kügelchen Papiermaché. Die Übergänge werden wiederum gut verschmiert.

Nach dem Trocknen werden die Blumen mit Dispersionsfarben grundiert und dann bunt angemalt. Diese Blumen können Sie in Blumenkästen und Blumentöpfen, zwischen frischen Blumen, Gras und Efeu, zusammen mit Trockengräsern oder allein in Vasen stecken.

Blumenstiele aus Zweigen

Blumen mit natürlich gebeugten, verästelten Stielen entstehen aus kleinen Zweigen und Ästen, die wir auf einem unserer nächsten Waldspaziergänge suchen. Ihre natürlichen Verzweigungen verleihen unseren Blumen ein verblüffend echtes Aussehen. Bevor wir sie mit Papiermaché einkleiden, lassen wir sie an geeigneten Plätzen in der Sonne oder vor der Heizung gut durchtrocknen.

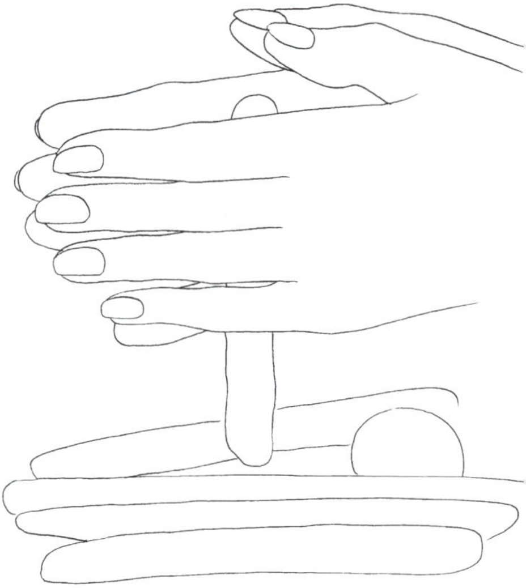

Eine Papiermachékugel von 2–3 cm Durchmesser rollen Sie zwischen den Händen so lange hin und her, bis sich eine Wurst von einem cm Durchmesser gebildet hat. Davon legen Sie einige bereit.

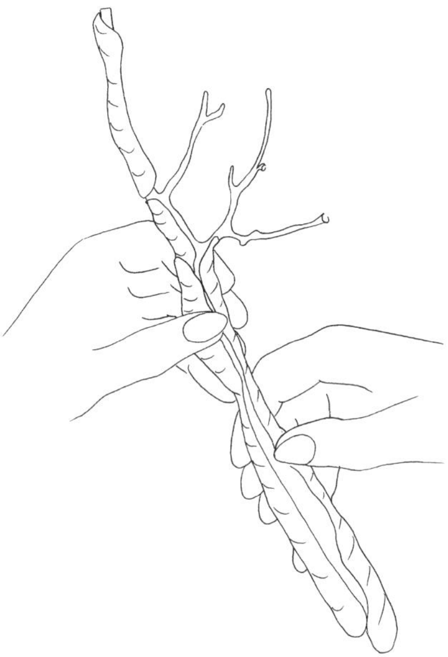

In die Papiermachéwürste drücken Sie längs die Äste und ummanteln Sie damit. Die entstehenden Längsnähte und die zwischen den Würsten verspachteln sie mit dem Modelliermesser.

Die so entstandenen Blumenstiele lassen Sie neben Blättern und Blumenkelchen, die Sie nach der oben beschriebenen Anleitung extra formen, gut durchtrocknen. Die getrockneten Teile fügen Sie mit feuchtem Papiermaché zusammen und verschmieren die Übergänge gut mit einem Modelliermesser.

Zum Trocknen legen Sie die Blumen auf eine mit Zeitungspapier ausgelegte Unterlage. Sie sollten vorsichtig ausprobieren, die Blüten und Blätter in einem Arbeitsgang anzubringen. Bei größeren Blumen bietet es sich an, zunächst die Blüten und erst nach dem Trocknen, in einem zweiten Arbeitsgang, die Blätter anzufügen. Nehmen Sie sich die Zeit, dann erhalten Sie für Ihre Mühe auch den entsprechenden Lohn.

Langstielige Rosen

Für langstielige Rosen brauchen Sie ein Meter lange Holz- oder Bambusstäbe von mindesten 0,7 cm Durchmesser. Die erhalten Sie in Baumärkten und Gärtnereien. Wie bei den kleinen Blumen werden nur etwas größere Papiermachékugeln von etwa 3–4 cm Durchmesser auf ein Ende des Holzstabs geschoben. Die Übergänge werden gut verschmiert. Die folgenden Zeichnungen illustrieren die einzelnen Arbeitsschritte.

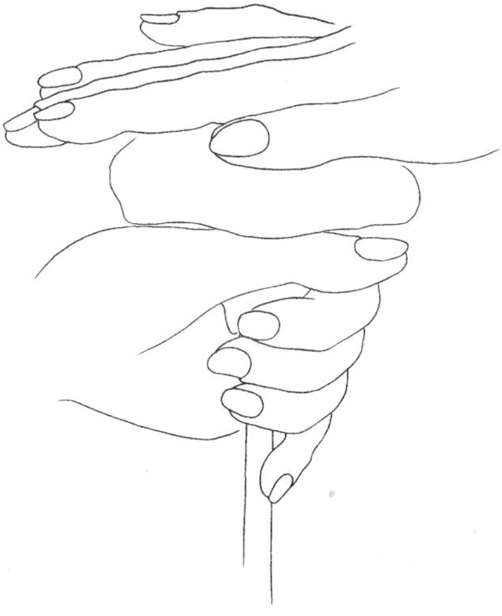

Sie umfassen den Holzstab mitsamt dem unteren Ende der darauf gesetzten Papiermachékugel mit der linken Hand und drücken darauf den Rest der Kugel mit der anderen Hand platt.

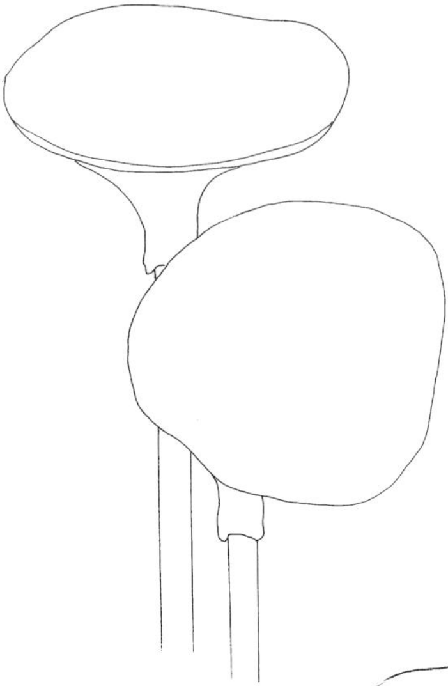

Sie erhalten ein platte Blüte von 5–10 cm Durchmesser, die Sie auch seitlich neigen können. Diese Grundform muß gut durchtrocknen. Angemalt sehen diese Blumen auch schon ganz attraktiv aus.

Aus Kugeln mit 1 cm Durchmesser formen Sie einzelne Blütenblätter, indem Sie die plattgedrückten Kugeln zwischen den Fingern durch stetes Drücken und Verstreichen dabei entstehender Risse zu Blütenblättern wölben.

Die feuchten Blütenblätter drücken Sie an einem Ende auf den getrockneten Blütenkelch, und zwar in Runden von außen nach innen.

Zum Schluß formen Sie noch eine kleine Kugel, die Sie in die Mitte des Rosenkelchs drücken, indem Sie mit dem kleinen Finger ein Loch hineinbohren.

Die Rosen stellen Sie zum Trocknen in ein hohes Gefäß mit einer guten Standfestigkeit; denn die Blütenkelche sind in feuchtem Zustand sehr schwer und die Holzstäbe biegen sich unter ihrer Last. Sie müssen gut durchtrocken, damit auch das letzte Blütenblatt in den Kelch wachsen kann. Fällt das eine oder andere Blatt dennoch nach dem Trocknen ab, so fügen Sie es mit feuchtem Papiermaché auf die bereits beschriebene Weise an. Erst wenn alle fest sind, können die Rosen grundiert und angemalt werden.

Sonne, Mond und Sterne als Blütenköpfe

Ein hübsches Arrangement fürs Kinderzimmer, aber auch witzig für den Balkon oder im grünen Blumenbeet versteckt, sind Sonne, Mond und Sterne als Blütenköpfe. Sie brauchen dafür ein Backblech oder entsprechend großes Brett, für Sonne und Mond einen Meter lange Stiele, für die Sterne Holzspießchen und Papiermaché. Gehen Sie den folgenden Zeichnungen entsprechend vor.

Eine Papiermachékugel von 5–7 cm Durchmesser drücken Sie auf Ihrer Unterlage zu einer runden Scheibe von etwa 2 cm Dicke platt.

Mit ein wenig künstlerischem Geschick modellieren Sie ein Gesicht in die Scheibe. Sollte Ihnen das nicht gelingen, malen Sie nach dem Trocknen ein Gesicht auf die Scheibe. Selbst Punkt, Punkt, Komma, Strich macht eine fröhlich-witzige Sonne.

Sie geben der Sonne einen Strahlenkranz, wenn Sie mit dem Modelliermesser um das Gesicht der Sonne eine kreisförmige Vertiefung ziehen, die Sie noch einmal mit dem Finger glatt streichen.

Mit dem Finger drücken Sie nun regelmäßig nebeneinander Vertiefungen in den Kranz, so daß Strahlen als erhabene Wellen stehenbleiben.

Einen mühsam herzustellenden Strahlenkranz geben Sie der Sonne, wenn Sie aus Papiermachékugeln mit etwa 1–2 cm Durchmesser langgezogene Dreiecke formen, die Sie um die Scheibe legen. Die Übergänge verschmieren Sie mit dem Modelliermesser.

Für einen Halbmond schneiden Sie mit dem Modelliermesser aus der plattgedrückten Papiermachescheibe ein Profil aus und streichen die Ränder schön glatt.

Wenn Mond und Sonne trocken sind, können Sie Ihnen auch auf der Rückseite noch ein entsprechendes Gesicht modellieren. Sterne werden mit Ausstechförmchen (siehe Seite 58) aus Papiermaché geformt. Sind alle Köpfe trocken, letzte Feinheiten geschliffen und ausmodelliert, bohren Sie ihnen von unten ein dem Durchmesser des Holzstabs entsprechend großes Loch. Holzstab und Kopf verbinden sie mit feuchtem Papiermaché, streichen die Übergänge glatt und lassen sie trocknen. Haben sie keine Geräte, ein Loch zu bohren, dann schieben Sie den Holzstiel in den noch feuchten Mond oder die Sonne. Sie können

Ihren Köpfen auch ein kleines Loch durch die Stirn oder die obere Spitze des Strahlenkranzes bohren, um Sie aufzuhängen. Nach dem Trocknen malen Sie die Himmelskörper in Gelb-, Gold- oder Silbertönen an. Ein Mond macht sich auch in kalten Blautönen gut. Selbstverständlich können Sie mit den Anleitungen und Motiven dieses Kapitels auch noch andere Blumen mit Gesichtern gestalten.

Gefäße

Aus Papiermaché können Sie alle nur erdenklichen Gefäße herstellen, die der Verschönerung Ihrer Wohnung dienen. Vasen, Übertöpfe, große und kleine Schalen sowie dekorative Teller lassen sich wunderbar für Obst, Blumen, Wolle, Nähzeug, Zeitschriften, Zeitungen, Kaminholz, Schirme und Stöcke gebrauchen. Damit haben Sie auch jederzeit hübsche Geschenke für nette Freunde und liebe Verwandte zur Hand.

Kleine Vasen aus alten Gläsern

Aus einer Sammlung von leeren Marmeladengläsern, Ketchupflaschen, Gurkengläsern, Deodorantrollern und Saftflaschen lassen sich die schönsten Formen für Vasen gewinnen.
Sie kleiden ein Glas Ihrer Wahl nach der auf Seite 13 beschriebenen Anleitung in Papiermaché ein. Nach dem Trocknen können Sie noch Henkel, Blätter, Blüten oder ähnliches Dekor, das Sie bereits vorbereitet und getrocknet haben, mit

feuchtem Papiermaché anbringen. Diese Vasen, die aus eingekleideten Gläsern entstanden sind, können Sie selbstverständlich auch mit Wasser und frischen Blumen füllen.

Übertöpfe

Alte Blumentöpfe, möglichst die aus Plastik, lassen sich wunderbar nach der Technik, auf Seite 13 beschrieben, mit Papiermaché einkleiden. Blumen und anderes Dekor aus Papiermaché, Spiegelscherben, Muscheln und sonstige Fundsachen sind hübscher Zierrat, der die Töpfe bis zur Unkenntlichkeit verschönert.

Schmuckdosen

Cremedosen aller Art und hölzerne Zigarrenkisten werden nun nicht mehr im Mülleimer, sondern nach der Einkleidetechnik in Papiermaché verschwinden. Sie verschönern sie mit Herzen, Vögeln und anderen Motiven, die Sie einfach mit Ausstechförmchen ins feuchte Papiermaché drücken. Da wir die Dosen auch im eingekleideten Zustand noch verschließen möchten, ist darauf zu achten, daß die Dose dort, wo der Deckel sie umschließt, von Papiermaché freibleibt. Der ausgesparte Rand wird später mit Farbe kaschiert. Es ist ratsam, die Dosen auch von innen entweder mühsam mit Papiermaché oder einfach mit Farbe auszuarbeiten, damit der Cremedosencharakter verschwindet. Wer talentiert und geduldig genug ist, kann seine Dosen auch von innen mit Stoff bekleben.

Aus alt mach neu: Schalen

Gefallen Ihnen von der Form her alte Schalen, Schüsseln oder Teller, deren Material und Dekor Sie aber gar nicht mehr so schön finden, die vielleicht auch durch einen Sprung oder andere kleine Fehler angeschlagen sind, können Sie sie in Papier-

maché einkleiden und nach Ihrem Geschmack neu gestalten.
Sie haben aber auch die Möglichkeit, einem weiten offenen Gefäß, wie z. B. einer Bratpfanne, einem Suppenteller oder einer Salatschüssel einfach nur die Form abzugewinnen und zu vervielfältigen, ohne daß Ihr gesamtes Küchengeschirr in Papiermaché verschwindet. Dafür legen Sie Ihre Form in mehreren Schichten mit nassen Zeitungspapierschnipseln aus und drücken vorsichtig dünne Scheiben Papiermaché darauf. Die Verbindungen zwischen den Scheiben werden

durch gutes Verschmieren hergestellt. Da sich Papiermaché während des Trocknens zusammenzieht, sollten Sie eine Form niemals dadurch gewinnen wollen, indem Sie sie von außen beschichten. Die wäre dann kaum zu lösen, da die Außenschicht das Gefäß fest umspannt. Die getrocknete Innenschicht aus Papiermaché ist jedoch während des Trocknens kleiner geworden und löst sich ganz von allein aus der Form. Damit diese Stabilität und Festigkeit erhält, wird sie noch einmal mit Papiermaché überzogen. Bei dem anschließenden Trockenvorgang kann sich die Schale völlig verziehen, der Boden wölbt sich von unten in die Form, eine Wand beugt sich zur Mitte hin oder die Schale stellt sich schief und läßt sich wunderbar hin- und herwackeln. Diese unvorhersehbaren Deformationen können Sie durch Brechen oder Ausgleichen mit feuchtem Papiermaché beheben, wie ich auf Seite 10f. beschrieben habe. Gleichzeitig können nun auch noch Verfeinerungen vorgenommen werden.

Sie schmücken Ihre Schale mit Henkeln, Blumen, Sternen, Fischen oder anderem Dekor aus getrocknetem Papiermaché.

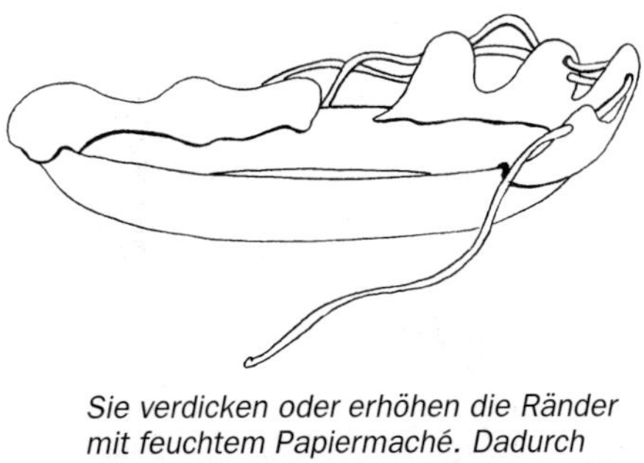

Sie verdicken oder erhöhen die Ränder mit feuchtem Papiermaché. Dadurch können Sie Paketschnur, Bast oder Silberdraht ziehen, wovon in regelmäßigen Abständen Schlaufen sichtbar stehenbleiben.

Murmeln, Muscheln, Steine, Knöpfe, Spiegel- oder Glasscherben können Sie auch noch in eine dünne Schicht feuchten Papiermachés pressen.

Bodenvasen oder Schirmständer

Für unsere langstieligen Blumen aus Papiermaché brauchen wir Bodenvasen, die wir auch als Behälter für Schirme, Kaminbesteck, Mützen, Handschuhe und Schals brauchen können. Hinsichtlich unserer Einkleidetechnik bieten sich für diese Zwecke entsprechend größere Behälter an, die wir nicht mehr gebrauchen können, wie alte Putzeimer, Mülleimer oder häßliche Bodenvasen und Schirmständer. Diese mit Papiermaché von außen verkleideten, wasserdichten Gefäße sind mit Wasser zu füllen und eignen sich auch für frische langstielige Blumen. Sollte nun aber in Ihrem Haushalt kein alter Eimer anfallen und Sie möchten ein schmales hohes Gefäß arbeiten, dann besorgen Sie sich alte Zeitungen, ein paar Steine von 3–4 cm Durchmesser, im Baumarkt eine Rolle Maschendraht, einen Seitenschneider, eine Zange und rühren in einem Marmeladenglas Kleisterpulver mit Wasser an.

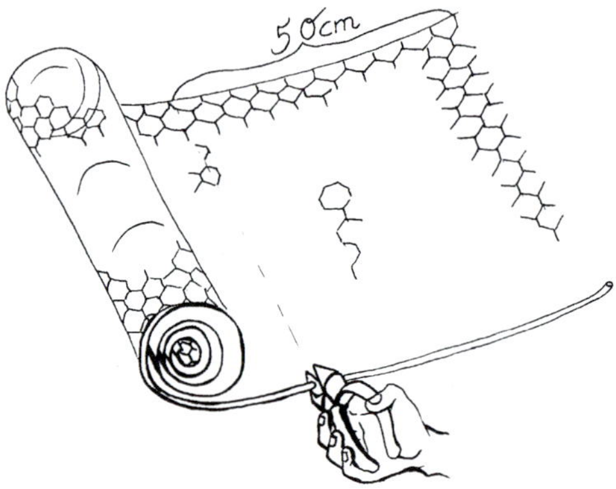

Sie schneiden vom Maschendraht ein 50 cm langes Stück mit dem Seitenschneider ab.

Das zugeschnittene Stück Maschendraht formen Sie zu einem Zylinder und verschließen die Naht, indem Sie die vorstehenden Drahtenden mit Hilfe einer Zange verzwirbeln.

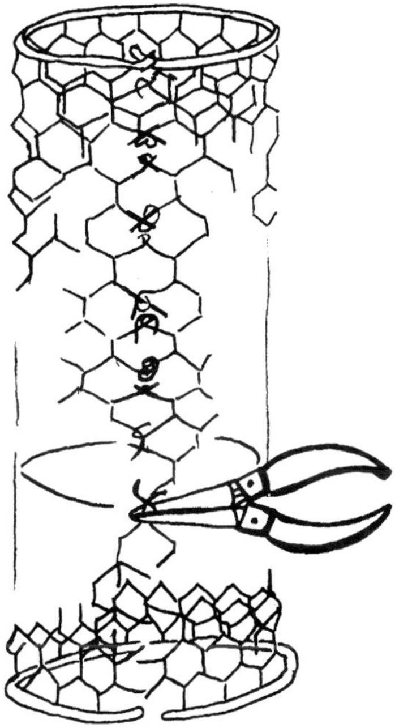

Mit dem angerührten Kleisterpulver streichen Sie fünf bis sechs Bögen Zeitungspapier ein und legen sie in mehreren Schichten über den Maschendrahtzylinder.

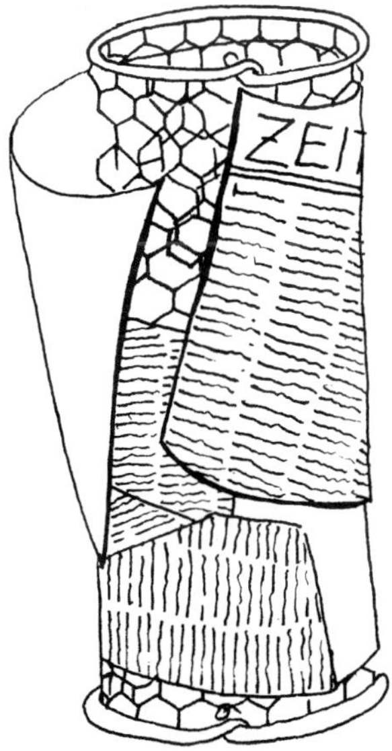

Während der mit eingekleistertem Zeitungspapier umwickelte Maschendrahtzylinder trocknet, formen Sie für ihn aus Papiermaché eine Bodenscheibe mit einem Durchmesser, der dem des Zylinders entspricht. In diese lassen Sie ruhig in mehreren Schichten die gesammelten Steine ein und legen eine weitere Schicht Papiermaché darüber. Durch diese Bodenscheibe erhält das hohe Gefäß seine Standfestigkeit. Nach dem Trocknen wird der Zylinder von innen und außen mit Papiermaché beschichtet. Den danach getrockneten Zylinder und die trockene Bodenscheibe fügen wir mit feuchtem Papiermaché zusammen. Ist diese Grundform getrocknet, können wir mit dem Dekorieren je nach unserem Geschmack beginnen.

Große Schalen und Tabletts

Um große Schalen herzustellen, benötigen wir wiederum eine alte Zeitung, Maschendraht, einen Seitenschneider, eine Zange und mit Wasser angerührtes Kleisterpulver. Wir schneiden für den Boden aus Maschendraht einen Kreis von 40 cm Durchmesser zu. Die Größe können Sie selbstverständlich variieren. Für den Rand der Schale schneiden wir eine Bahn von 30 cm Breite und 120–130 cm Länge zu. Das entspricht dem Umfang des Kreises, den wir für den Boden der Schale zugeschnitten haben. Die Breite dieser Bahn können Sie auch beliebig zuschneiden, je nachdem, wie hoch Ihre Schale werden soll. Nehmen Sie z. B. nur 8 cm, dann haben Sie den Rand für ein rundes Tablett oder ein ganz flache Schale.

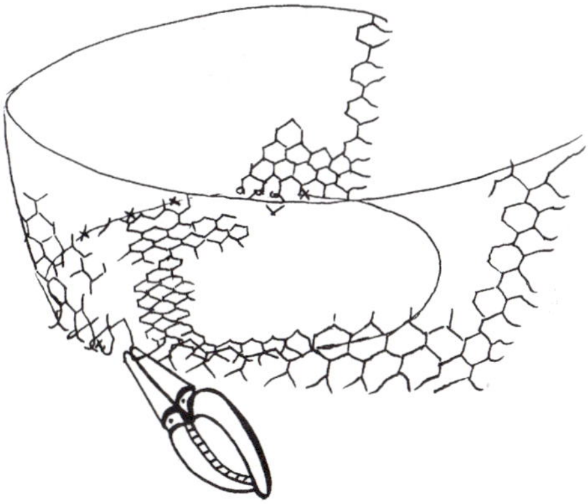

Eine Längsseite der Maschendrahtbahn verklammern Sie mit dem Boden, indem Sie die vorstehenden Drahtenden von Boden und Rand mit einer Zange verzwirbeln.

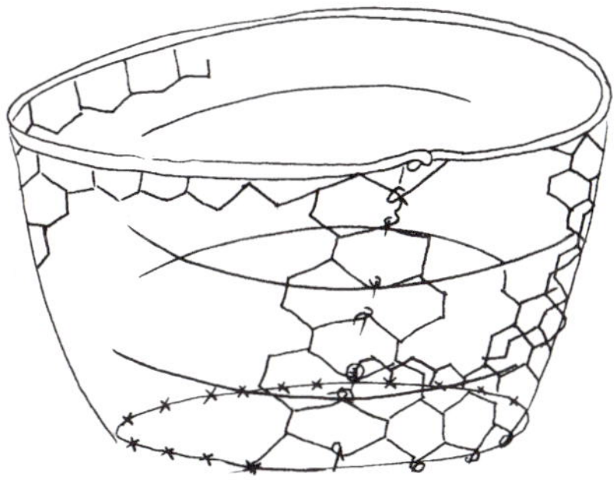

Die aufeinandertreffenden Breitseiten verschließen Sie ebenfalls zu einer Naht, so daß sich die Grundform einer Schale ergibt.

Diese Maschendrahtform umkleben Sie in drei bis vier Schichten mit eingekleistertem Zeitungspapier. Darüber legen Sie nach dem Trocknen eine dünne Schicht Papiermaché, die ebenfalls trocken sein muß, bevor Sie die Schale von innen auslegen. Erst wenn auch diese Schicht trocken ist, können Sie letzte Feinheiten ausarbeiten, Risse und Löcher beseitigen, Beulen und Hubbel ausgleichen, Henkel und Verzierungen anbringen.

Schmuck

Zwar behält der Esel seine Ohren, wenn wir ihm Schmuck anlegen, doch lenkt dieser das Auge wenigstens von den langen Ohren ab, insbesondere wenn er so bunt und abwechslungsreich gestaltet ist wie Papiermachéschmuck.

Ringe

Wenn wir eine Kugel aus Papiermachéteig zwischen beiden Händen beständig hin- und herrollen, so entsteht eine Papiermachéwurst. Diese legen wir auf eine Zeitung. Darauf verlängern und verdünnen wir sie durch weiteres, vorsichtiges Rollen. Wird diese Wurst an ihren Enden zu einem Kreis geschlossen, erhalten wir einen Ring.

Ringe finden wir in der Schmuckschatulle in den unterschiedlichsten Ausführungen und Funktionen. Wir besitzen Fingerringe, Ohrringe, Armringe und Serviettenringe. Diesen Reichtum wollen wir mit den Anleitungen in diesem Kapitel noch erweitern. Kinder können ihre ersten Schmuckstücke selbst gestalten, die sich auch als hübsche Mitbringsel für die nächste Geburtstagsfeier eignen.

Fingerringe

Für Fingerringe formen wir Würste von 0,5 cm Durchmesser und drücken sie platt. Sie sollten in der Länge großzügig dem Umfang eines Ihrer Finger entsprechen. Die beiden Enden schließen wir zu einem Ring, der nach dem Trocknen noch einmal mit Papiermaché überzogen wird. Damit erhält er seine Festigkeit. Sie können den Ring nun auch mit einer Papiermachékugel schmükken, in die Sie eine Spiegelscherbe, einen kleinen Stein, eine Muschel oder eine Perle einlassen. Nach dem Trocknen wird der Ring passend geschliffen, in Leinöl gebadet und dann noch einmal getrocknet. Er wird mit Dispersionsfarbe grundiert und sollte möglichst mit Ölfarben angemalt werden, da diese den beständigen Reibungen, denen ein Fingerring durch An- und Ausziehen ausgesetzt wird, am besten widerstehen. Doch auch ein abgenutzter Farbauftrag kann jederzeit wieder erneuert werden.

Armreifen

Leere Tesakrepprollen haben genau die passende Armreifengröße. Sie werden dünn mit Papiermaché von außen und innen eingekleidet und getrocknet. Für den nächsten Überzug bietet sich Ihnen eine gestalterische Variationsbreite ohne Grenzen. Armreifen können breit, schmal, mit dicken Auswuchtungen, mit geschliffenen, abgerundeten oder ausgefransten Rändern gestaltet werden.

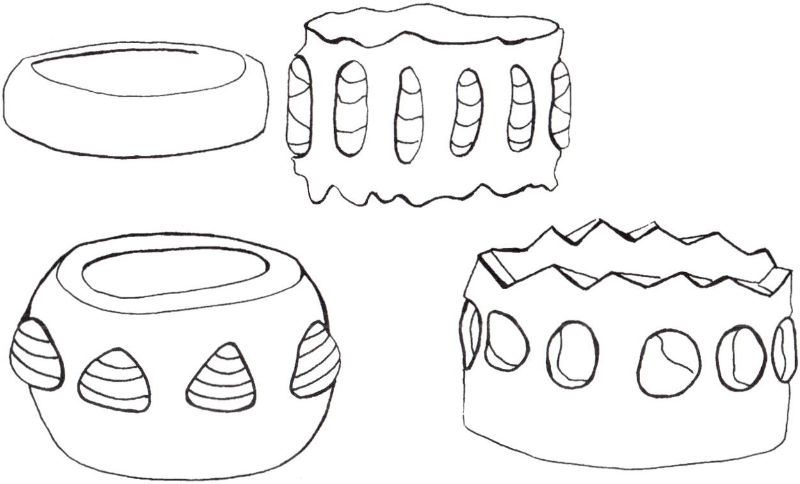

Scherben aller Art, Muscheln, alte Uhren, Steinchen, Walnußschalen, Kronkorken, Tubenverschlüsse, kleine Koffer- oder Fahrradschlüssel und Schneckenhäuser können als Zierrat ins Papiermaché eingelassen und nach dem Trocknen originell bemalt oder sichtbar gelassen werden.

Wenn Sie eine Vorliebe für Schlangenarmbänder haben, besorgen Sie sich ein Papprolle, in der Kunstdrucke verschickt werden.

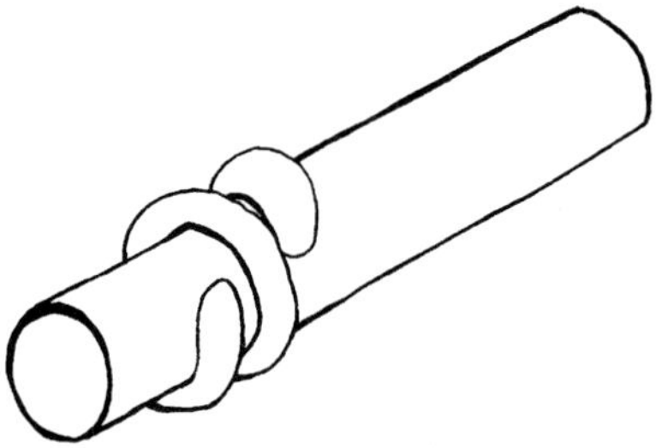

Sie formen eine Wurst von mindestens 40–45 cm Länge, entweder am Stück oder aus Einzelteilen zusammengesetzt. Diese wickeln Sie spiralförmig um das Ende der Papprolle und lassen sie trocknen.

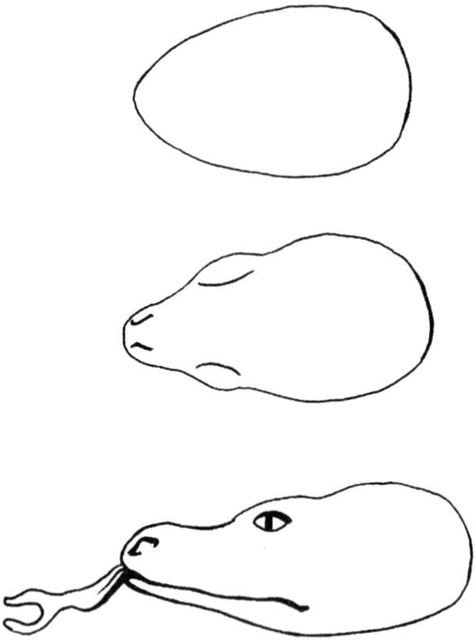

In der Zwischenzeit formen Sie einen Schlangenkopf aus einem 1 x 2 cm großen Ei. Sie ritzen ein Maul und Nüstern mit dem Modelliermesser und formen Vertiefungen für die Augen. Eine gespaltene Zunge unterstreicht den Schlangencharakter.

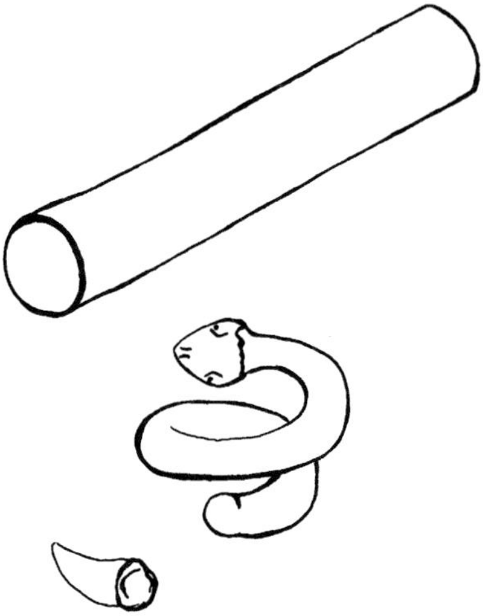

Sie ziehen die trockene Spirale von der Papprolle, fügen mit feuchtem Papiermaché den Kopf an, überziehen den ganzen Körper dünn mit Papiermaché und verjüngen ihn am Ende zu einem Schlangenschwanz.

Serviettenringe

Krumme, dicke Würste, zu Ringen geschlossen, ergeben die hübschesten Serviettenringe, wenn sie originell angemalt werden. Mit Namen oder Sternzeichen geschmückt, werden sie zu gern gesehenen, individuell abgestimmten Geschenken.
Ein wenig Mühe steckt in den Serviettenringen, deren Form wir aus leeren Toilettenpapierrollen gewonnen haben.

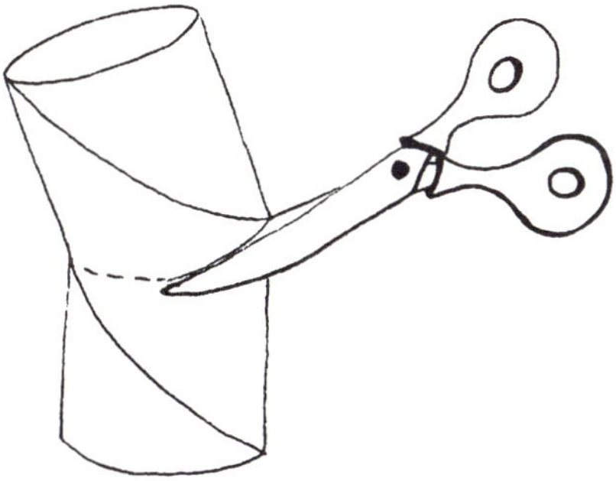

Die charakteristische Art, in der Toilettenpapierrollen zusammengeklebt sind, nutzen wir für unsere Serviettenringe und teilen die Rolle mit einer spitzen Schere oder einem scharfen Messer in zwei Hälften.

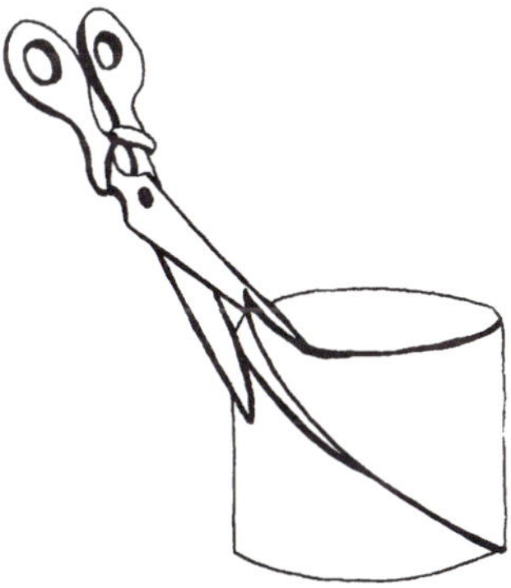

Die Naht wird mit einer spitzen Schere aufgetrennt.

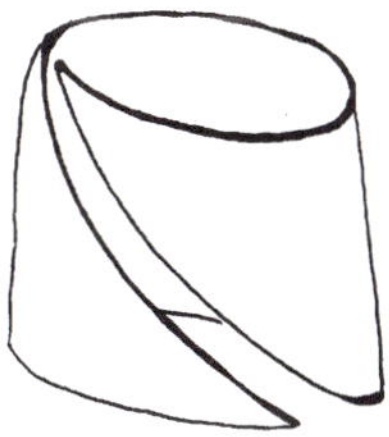

Die aufgeschnittenen Ringe werden dünn mit Papiermaché beschichtet. Dabei weichen sie auf und verlieren ihre Form. Darum müssen sie zum Trocknen in ihre runde Form gebracht und seitlich abgestützt werden. Am besten stellen Sie sie zwischen zwei höhere Gefäße und formen sie, wenn nötig, immer wieder rund während des Trockenvorgangs.

Ketten aus Ringen

Eine arbeitsaufwendige Geduldsarbeit ist die Herstellung von langen Ketten aus Papiermachéringen. Zunächst müssen viele kleine Ringe geformt und getrocknet werden. In einem zweiten Arbeitsgang werden immer zwei Ringe miteinander verbunden, indem immer um zwei trockene ein feuchter Ring geschlossen wird.

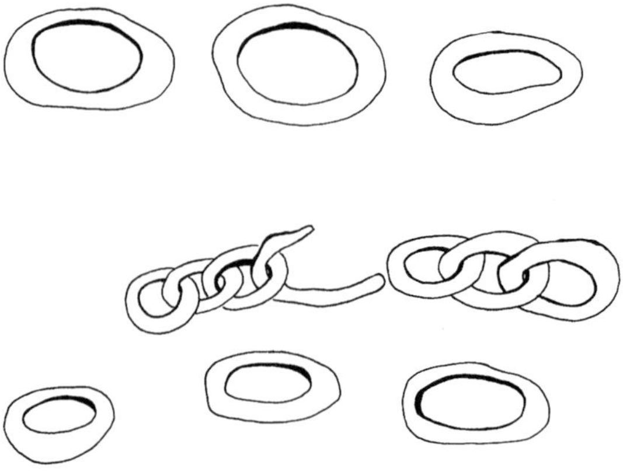

Im nächsten Arbeitsgang werden wieder zwei je aus drei Gliedern bestehende Ketten mit einem feuchten Ring geschlossen. Das wird solange fortgesetzt, bis Sie die gewünschte Länge Ihrer Kette erreicht haben. Das Anmalen der Kette fordert Ihre Geduld noch mehr heraus, da dabei darauf zu achten ist, daß zwei frischgestrichene Kettenglieder sich nicht berühren dürfen, weil sie sonst entweder zusammenkleben oder bei Verschiedenfarbigkeit der Glieder ihre Farben sich ungewollt mischen. Legen Sie Ihre Kette zum Anmalen auf eine Unterlage und streichen Sie alle sichtbaren Teile an, die sich nicht einander berühren. Nach dem Trocknen verschieben Sie die angemalten Teile und malen nun wieder alle noch nicht angemalten Stellen an, die sich nicht berühren. Das wiederholen Sie, bis Ihre Kette schön bunt ist. Wollen Sie sie einfarbig gestalten, ist wegen des etwas geringeren Zeitaufwands natürlich die Spraydose das bevorzugte Malgerät. Doch auch dabei ist darauf zu achten, daß die Kette nach jedem Einsprühen trocknen und erst dann so verschoben werden muß, daß die ungefärbten Teile für die Farbe erreichbar werden. Aus solchen Ketten können Sie Armbänder, Gürtel, Ketten zum Aufhängen von Papiermachéarbeiten oder Halsketten machen. Bei Gürteln bietet sich an, die Kette offen zu lassen und an einem Ende einen Haken anzubringen, mit der der Gürtel auf individuelle Taillenstärke geschlossen werden kann.

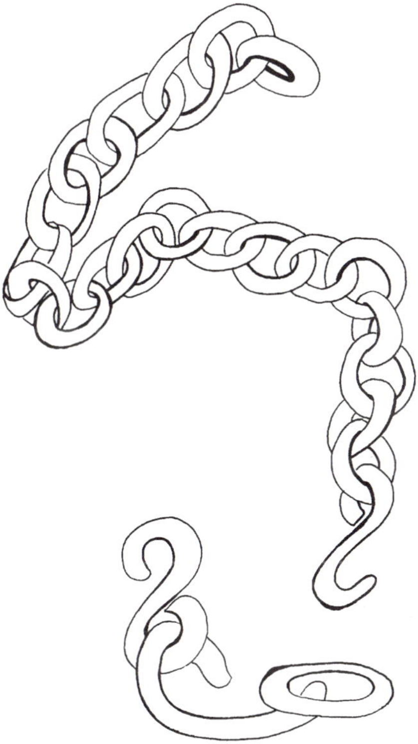

Kugeln

Kugeln aller Größen sind nutzlose, kleine Kunstwerke, die aber gleichgültig, wohin wir sie setzen, eine Attraktion fürs Auge sind. Besonders schön wirken sie, wenn sie in Massen aus hohen Glasgefäßen blinkern. Schalen, die Sie verschenken, bekommen eine besonders reizvolle, individuelle Note, wenn Sie sie mit selbstgestalteten Kugeln füllen. Jeder Tisch, jedes Regal, jeder Schrank, selbst der Fußboden zieht das Auge Ihrer Besucher auf sich, wenn dort einige bunte Riesenkugeln (siehe Foto Seite 19) lagern. Papiermachéschalen bieten ein abgerundetes Bild, wenn sie mit im entsprechenden Ton abgestimmten Kugeln geschmückt werden. Selbstverständlich können Sie mit den selbstgemachten Kugeln auch spielen oder sie als Spiel mit einer selbstgestalteten Anleitung verschenken, z. B. als Boccia-, Murmel- oder Mangalaspiel.

Kugeln zum Legen und Hängen

Ganz einfach lassen sich Kugeln aus alten Tennisbällen herstellen, die Sie einfach mit Papiermaché einkleiden, nach dem Trocknen eventuelle Dellen ausgleichen, dann schleifen, vorstreichen, anmalen und lackieren. Achten Sie bei der Farbgebung darauf, daß Sie immer nur eine halbe Kugel anmalen, sie trocknen lassen und dann die andere Hälfte anmalen. Zum Trocknen der Farbschicht legen Sie die Kugel am besten in einen Marmeladenglasdeckel, dann kann sie nicht auf die frisch gestrichene Farbseite rollen. Haben Sie keinen Tennisspieler in Ihrer Familie oder Ihrem näheren Bekanntenkreis, können sie Ihre Kugeln auch aus Zeitungspapier herstellen. Sie knüllen einen Bogen Zeitungspapier fest zu einem Ball zusammen, wickeln und knautschen den nächsten fest darum, bis der Zeitungsball die von Ihnen gewünschte Größe erhalten hat. Nun umwickeln Sie ihn mit einem Streifen Tesakrepp, damit er für den nächsten Arbeitsgang, das Einkleiden dieses Zeitungsballs mit Papiermaché, genügend Halt hat. Nach dem Trocknen wird diese Kugel schief und verdellt aussehen. Das gleichen Sie am besten mit einer weiteren Schicht Papiermaché aus. Sie können Ihre Kugel auch wachsen lassen, wenn Sie sie mit mehreren Schichten überziehen. Möchten Sie eine Kugel aufhängen, kann dafür eine Schlaufe aus Draht, Bast oder Schnur in die Kugel eingearbeitet werden.

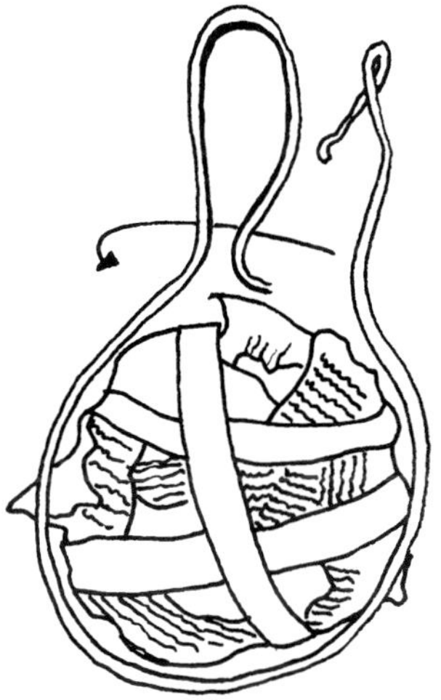

Sie legen ein Stück Silberdraht, das 10 cm länger ist als der Umfang Ihres Papierballs, um diesen herum, wobei das erste Ende bereits zu einer Schlaufe geformt ist.

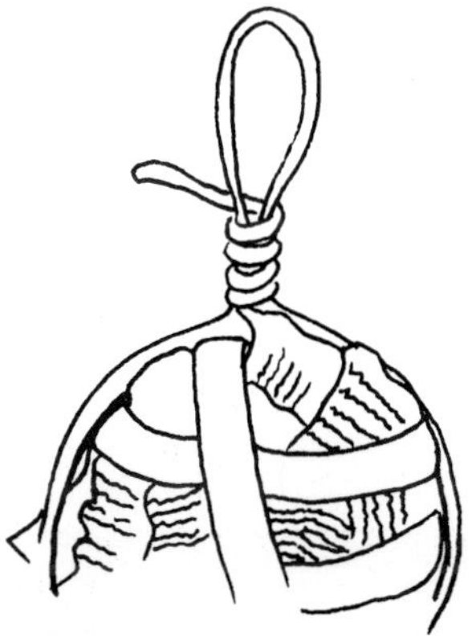

Sie schließen den Silberdraht unten an der Schlaufe, indem Sie sie spiralförmig umwickeln, das Ende mit einer Zange festkneifen.

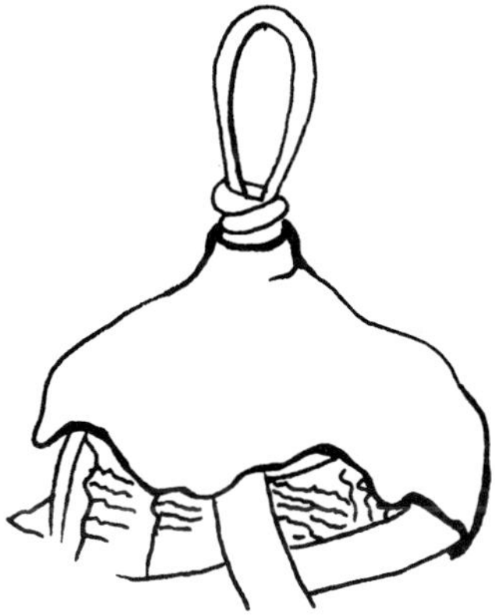

Der Silberdraht verschwindet bis auf die Schlaufe im Papiermachémantel.

Besitzen Sie einen elektrischen Tacker, können Sie auch noch in die trockene Kugel eine Klammer schießen, die Ihnen als Schlaufe dient.

Halsketten und Armbänder

Um Halsketten und Armbänder herzustellen, formen Sie sich eine kleine Kugelsammlung von Kugeln mit 1–5 cm Durchmesser.
Sollten Sie keine Bohrmaschine besitzen, mit der Sie nach dem Trocknen die Löcher durch die Kugeln bohren können, müssen Sie die feuchten Papiermachékugeln auf Holzstäbchen aufreihen, von denen sie sich nach dem Trocknen leicht wieder lösen lassen.

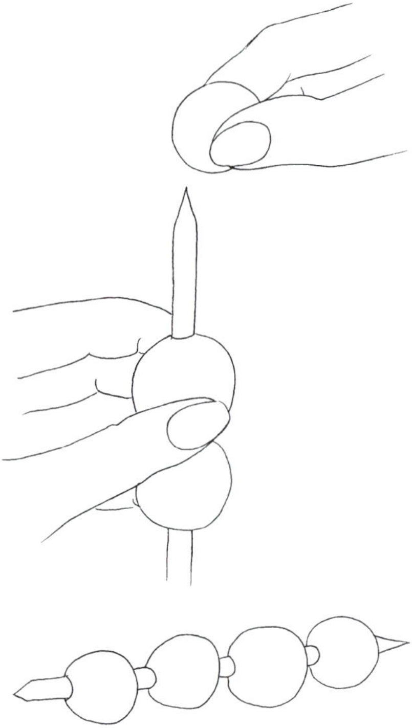

Die Papiermachékugeln sind nach dem Trocknen bisweilen kaum noch als Kugeln zu erkennen. Durch einen weiteren Papiermachéüberzug oder fleißiges Schleifen erhalten Sie die gewünschte Form. Achten Sie beim Anmalen der Kugeln darauf, daß Sie auch die Löcher wenigstens mit der Vorstreichfarbe ausmalen. Das gelingt Ihnen am besten, wenn sie dafür ein Holzstäbchen benutzen. Sind die Kugeln schön bunt angemalt, reihen Sie sie auf Paketschnur, Draht, Bast, Lederband oder Fadengummi auf. Hübsch kann eine Kette auch aussehen, wenn Sie Teile des Aufziehfadens, wie z. B. vom Lederband, vom Bast, vom feinen Silberdraht oder auch von der groben Paketschnur sichtbar zwischen den Perlen stehen lassen. Das erreichen Sie, wenn Sie durch Knoten die Kugeln am Weiterrutschen hindern. Einige bunte Papiermachéstäbchen zwischen den Kugeln können ebenfalls das Bild aufmuntern.

Anhänger

Wie auf dem Foto zu sehen ist, entsteht ein schöner, besonders einfach herzustellender Halsschmuck, wenn Sie sich aus Papiermaché einfach einen witzig originellen Anhänger für ein Lederband formen. Davon können Sie sich einen Riesenvorrat herstellen, den Sie als kleines, originelles Mitbringsel verschenken, aber auch zu Ohrringen und Broschen verarbeiten können. Bei diesen müssen Sie an die Löcher denken, durch die Sie Ihre Aufhänger ziehen. Möchten Sie sich Modeschmuck herstellen, brauchen Sie natürlich noch einige Arbeitsmaterialien. Besorgen Sie sich im Bastelzubehör Silber- oder Messingdraht, Broschennadeln mit einem Kleber, Ohrringaufhänger und Bänder zum Aufreihen aller Art. Im Baumarkt erhalten sie einen Seitenschneider und eine Rundzange, die Sie auch für Maschendrahtarbeiten brauchen.

Ausstechformen

Kinder basteln sich einfache Anhänger für Broschen, Halsketten oder zum Verschenken mit Hilfe von Ausstechformen. Da gibt es von der Blume bis zum Elefanten alle nur denkbaren Motive. Sie finden originelle Formen in Läden, die sich auf Küchenzubehör spezialisiert haben. Im Spielzeughandel werden auch besonders kleine, witzige Ausstechförmchen angeboten, und zur Weihnachtszeit können Sie Ihre Sammlung durch Angebote von fast jedem Supermarkt auffrischen.

Hübsche Anhänger lassen sich auf zweierlei Weise einfach damit formen – wie die folgenden Zeichnungen zeigen.

Sie formen eine 1 cm dicke Scheibe aus Papiermaché und drücken in die Mitte das Ausstechförmchen, so daß Sie einen Abdruck davon erhalten.

Sie drücken Papiermachéteig in die Ausstechform, füllen sie damit ganz aus und drücken das so geformte Papiermaché vorsichtig aus der Form. Sollte der Teig zu sehr am Förmchen kleben, ölen Sie es vorher ein oder befeuchten es mit Wasser.

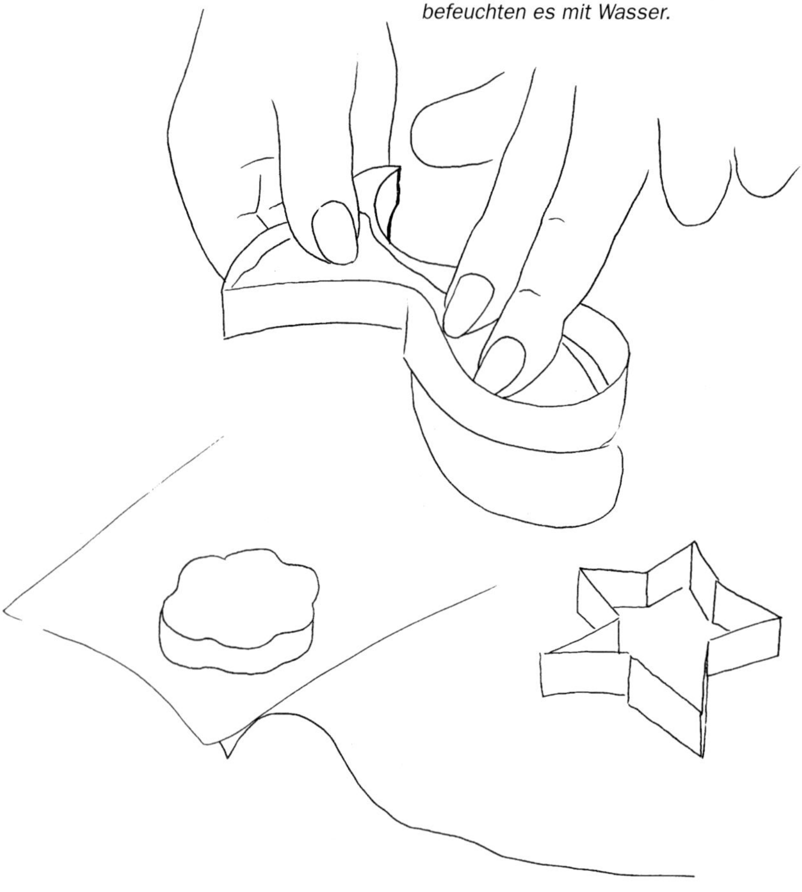

Mit Ausstechförmchen geformte Motive wie Sterne (siehe Foto Seite 37), Blumen und Vögel können Sie auch auf Holzstäbchen setzen und damit Ihren Blumenstrauß verschönern.

Viele Formen nach freier Phantasie

Grenzenlos sind die Möglichkeiten, die sich Ihnen bieten, wenn Sie Anhänger nach Ihrer eigenen Phantasie formen. Am einfachsten sind runde Anhänger herzustellen, die Sie durch eine schöne Malerei individuell gestalten können. Blumen und Blätter, Ringe und gewölbte Scheiben können Sie jetzt schon herstellen. Für weitere Motive wie Schlüssel, Besteck, Schmetterlinge, Püppchen, Tiere mit vier Beinen, Schlangen, Reptilien, Fische und einfache abstrakte Formen bietet Ihnen die folgende Zeichnung Ideen bzw. Vorlagen zum Nachformen.

Wenn Sie die Motive nicht aus der Hand nachformen können, kopieren Sie sie mit Pauspapier, Pergamentpapier oder dem Fotokopierer, schneiden sie aus und legen sie mit Papiermaché aus.

Tiere

Wenn unser Haus zu klein oder unsere Zeit zu knapp für ein sehnlich gewünschtes lebendiges Tier ist, so können wir uns wenigstens ein wenig Illusion von Natur schaffen, wenn wir uns eins aus Papiermaché in die Wohnung stellen. Als Geschenk oder für uns selbst hergestellt, bereitet es uns mindestens so viel Freude, wie wir als Kinder an unseren Puppen, Stofftieren oder anderen kleinen bunten Ungeheuern hatten.

Insekten

Fangen wir mit den kleinen Tieren an, die auch von kleinen Kindern nachgearbeitet werden können. Wir besorgen uns aus dem Bastelladen Silber- oder Messingdraht, von dem wir drei gleich lange Stücke, etwa 10–30 cm lang, mit einem Seitenschneider oder einer alten Schere abschneiden. Die Stücke sollten doppelt so lang sein, wie die Beine hoch sein sollen.

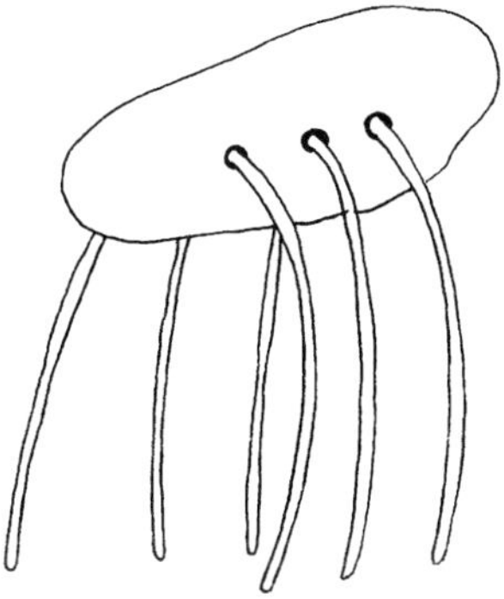

Durch eine aus Papiermaché geformte Kugel von 2 cm Durchmesser oder eine entsprechend große Wurst bohren wir dicht nebeneinander die drei Silberdrahtstücke, so daß auf beiden Seiten der Kugel drei gleich lange Beine hervorschauen.

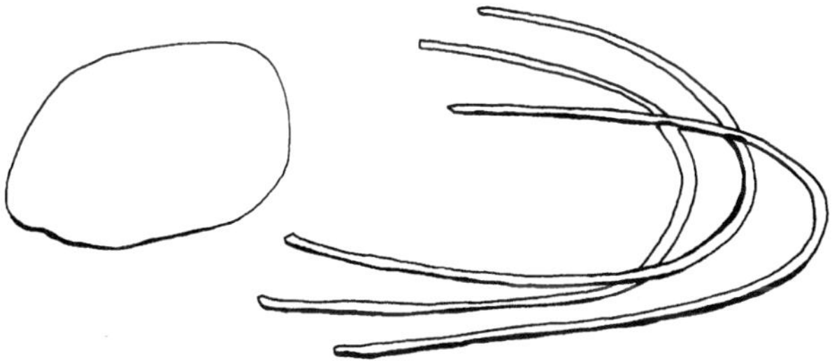

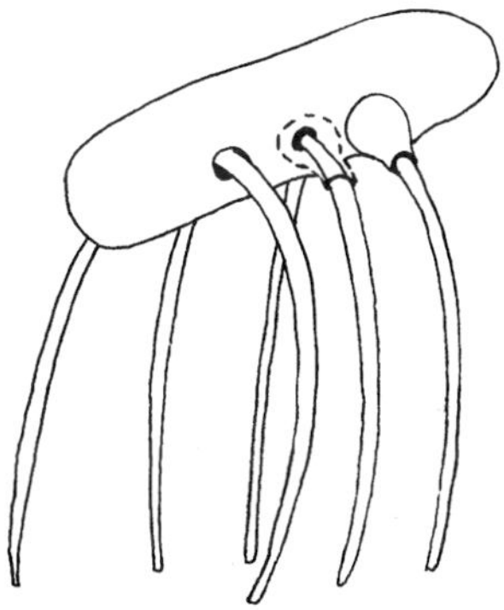

Nach dem Trocknen verschmieren wir mit feuchtem Papiermaché die Löcher des Körpers, aus denen die Silberdrahtbeine hervorschauen, damit sie schön fest mit dem Rumpf verbunden sind. Wir können unseren Insekten auch kleine dicke Oberschenkelchen verpassen, wenn wir zum Verschmieren Papiermachékügelchen über den Silberdraht zum Rumpf ziehen und die Übergänge zum Körper gut verschmieren.

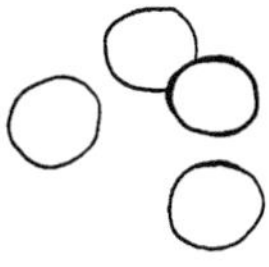

Die Grundformen unserer Insekten müssen gut durchtrocknen, bevor wir sie auf ihre Beine stellen können. Wer will, kann ihnen dann Augen, Mäulchen und Flügel aufmalen. Sie können aber auch noch sehr unterschiedlich mit allerlei Zutaten aus Papiermaché gestaltet werden. Anregungen dafür bieten Ihnen die folgenden Zeichnungen.

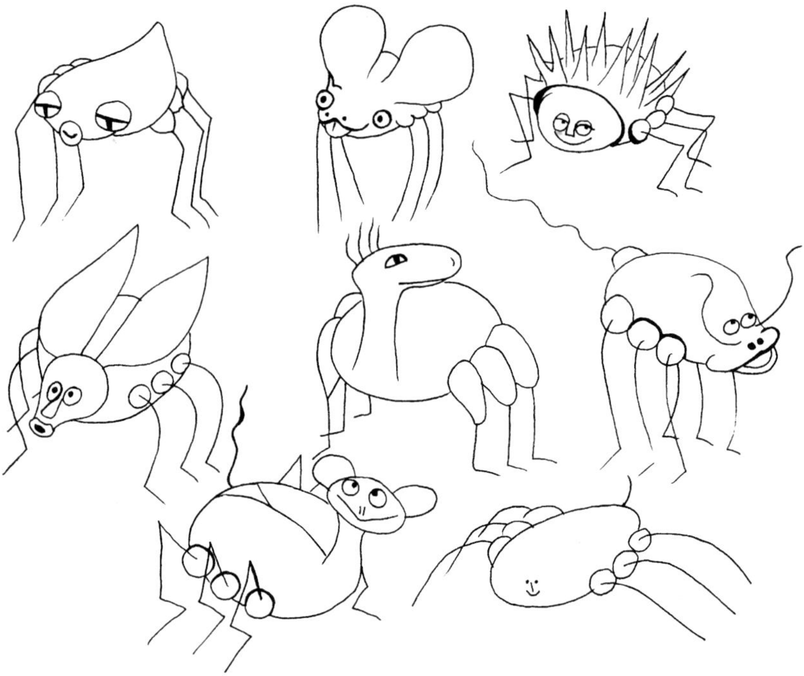

Wenn Ihr Insekt fliegen soll, so arbeiten Sie in den feuchten Papiermachérücken eine kleine Drahtschlaufe oder tackern ihm nach dem Trocknen eine Klammer in den Rücken. Insekten machen sich auch gut als Haarschmuck, wenn die kleinen Drahtbeinchen einen Zopf umklammern. Auf Papiermachéblumen oder auf Deckel von Schmuckdosen klettern sie mit Vorliebe; denn sie können sich mit ihren gelenkigen Beinen überall festhalten.

Krebse

Eine witzige Variante dieser Insekten sind Krebse, die Sie z. B. Freunden schenken können, die unter diesem Sternzeichen geboren sind. Da der Krebs acht Beine und zwei Scheren hat, schneiden wir aus Silberdraht vier gleich große und zwei ein wenig kürzere Stücke zu.

Die beiden Drahtstücke für die Krebsscheren verzwirbeln wir in der Mitte, stecken sie so durch den Kopf des feuchten Krebsrumpfes und öffnen dann die Drahtenden zu Scheren.

Entsprechend der Numerierung werden dem Krebs die feuchten Papiermachéteile mit jeweils einer Trockenphase dazwischen angesetzt und die Übergänge zu den bereits getrockneten Teilen gut verschmiert: 1. Oberschenkel und erstes Glied für Scheren; 2. Panzer, Augen bohren, Fühler und zweites Glied für Scheren; 3. Scheren.

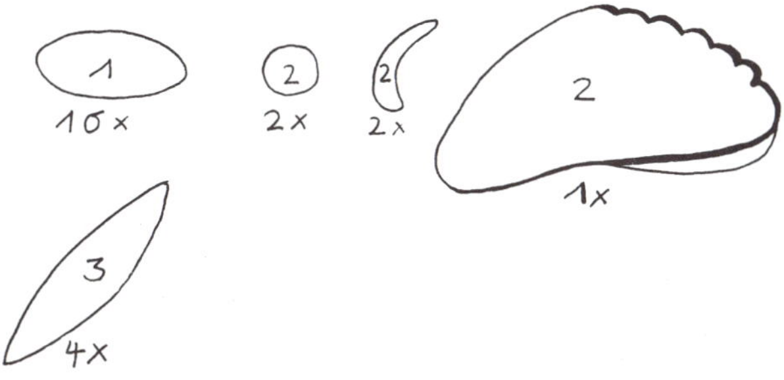

Skorpione

Ein im Zeichen des Skorpions geborener guter Freund wird sich über einen solchen riesig freuen, vor allem, wenn Sie noch erzählen, wie kompliziert er herzustellen war. Wieder schneiden Sie vier gleich große Drahtstücke für acht Beine, eins für den Schwanz und zwei für die Scheren zu. Durch eine etwa 6 cm lange Papiermachéwurst schie-

ben wir wie bei den Insekten die Beine, arbeiten wie beim Krebs die Scheren und pieken ins andere Ende den Schwanz, den wir skorpionartig rund, mit der Spitze auf seinen Rücken zeigend arbeiten. Bevor wir mit den charakteristischen Feinheiten beginnen, muß dieses Grundgerüst gut durchtrocknen.

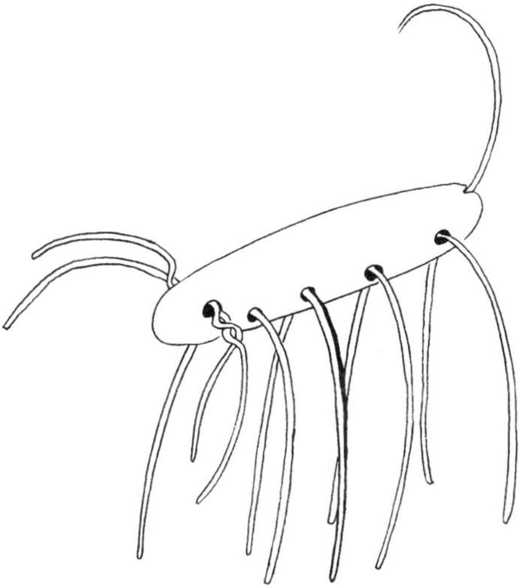

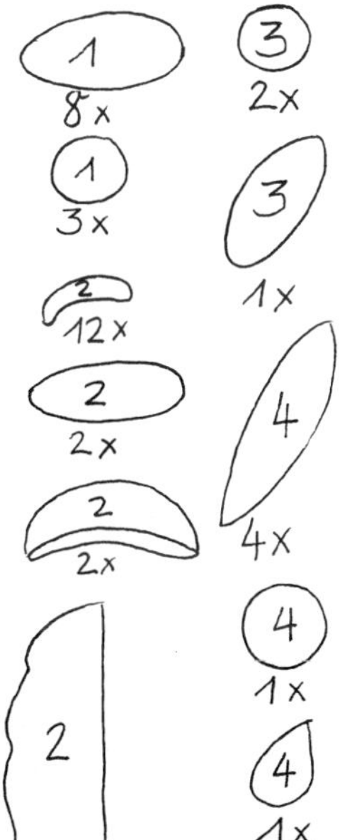

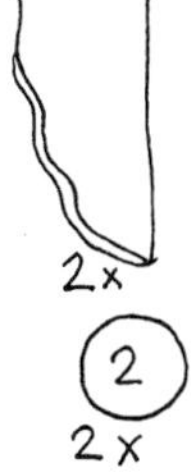

1. Oberschenkel, erstes Glied der Scheren und des Schwanzes; 2. Fühler, Kopfplatten, Panzer und seitliche Auswuchtungen, zweites Glied der Scheren und des Schwanzes; 3. drittes Glied der Scheren und des Schwanzes, 4. Scheren, die letzten beiden Glieder des Schwanzes.

Dann fügen wir die feuchten Papiermachéteile in der der Zeichnung entsprechenden Reihenfolge an.

Schnecken

Runden wir dieses Kapitel der Kleintiere noch mit einem ganz einfach nachzuarbeitenden Tierchen, der Wanderschnecke, ab. Sie überläßt uns ihr schmuckes Häuschen, damit wir sie auch ja naturgetreu nachbilden können. Haben Sie so eins gefunden, formen Sie einfach eine 12–15 cm lange Wurst aus Papiermaché, von dem Sie ein Ende zu vier kleinen Fühlern verjüngen. Sie drücken diese Wurst nun auf die Trockenunterlage, verbreitern den Bauch an jeder Seite um 0,1 cm und verjüngen das hintere Ende zum Schneckenschwanz. Nun setzen Sie in die Mitte des Rückens das Schneckenhaus und verschmieren die Übergänge so gut, daß die Schnecke es nach dem Trocknen nicht verlieren kann. Die getrocknete, angemalte Schnecke wirkt sehr originell, wenn sie eine Brosche daraus machen.

Vögel

Kommen wir jetzt von den Krabbel- und Kriechtierchen zu den Vögeln, die sich in der Natur so bunt und vielfältig gestalten, das wir sie wunderbar aus Papiermaché nachbilden können.

Eulen

Eulen sind Vögel, die bei der künstlerischen Gestaltung mit Form und Farbe Phantasie und viele Variationsmöglichkeiten zulassen, so daß sie gern und leicht auch von Kindern hergestellt werden können. Für den Rumpf formen wir Kugeln oder Eier, die wir trocknen lassen.

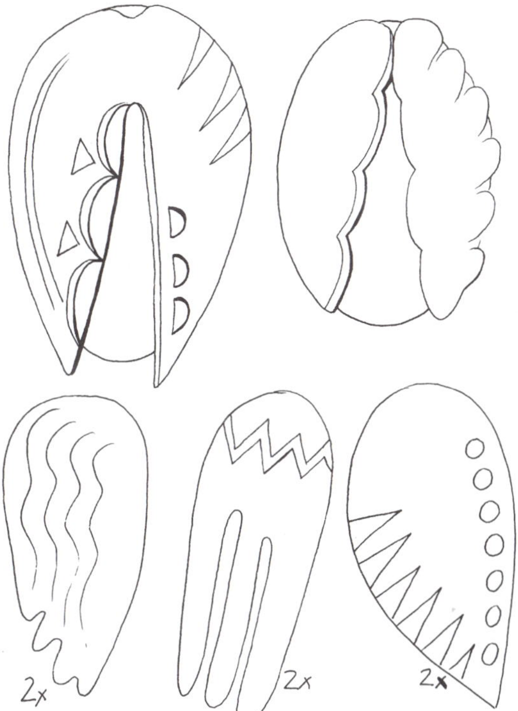

In diesen Körper dürfen Sie schon Strukturen für die Flügel einarbeiten, die aber auch extra gearbeitet werden und nach dem Trocknen angefügt werden können.

Für den Eulenkopf formen wir eine Kugel mit 2 cm Durchmesser, die wir platt drücken und nach den abgebildeten Variationsmöglichkeiten mit einem Messer oder Holzstäbchen modellieren und dann trocknen lassen.

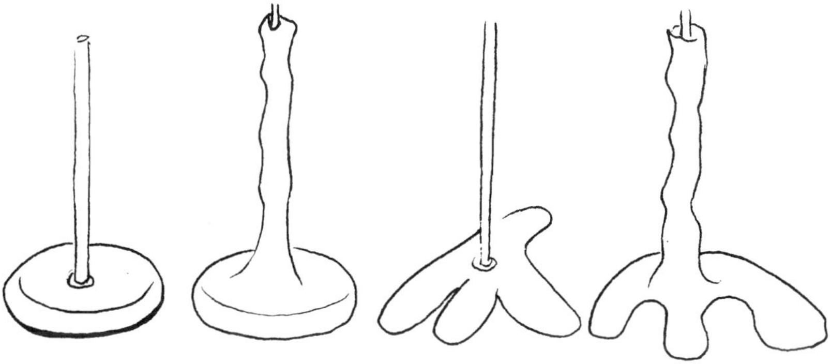

Wir formen für die Füße Kugeln von 1 cm Durchmesser, drücken sie platt und stechen in die Mitte ein Streichholz oder einen Zahnstocher, den wir mit Papiermaché einkleiden und dann trocknen lassen.

Wenn Füße, Rumpf und Kopf trocken sind, fügen wir alle Teile mit feuchtem Papiermaché zusammen, verschmieren alle Übergänge gut und bessern Löcher und Dellen aus.

Die Beine werden an den Rumpf gefügt, indem wir der Eule aus Papiermachékugeln dicke Oberschenkel formen, die die Verbindung zwischen Rumpf und Beinen bilden. Es ist auch möglich,nur die platten Füße an den Rumpf zu fügen.

Wenn die so zusammengesetzte Eule im Liegen getrocknet ist, müssen wir sie zum Stehen bringen. Das geschieht entweder durch Schleifen der Fußsohlen, oder wir verbessern das Standvermögen der Eule, indem wir Ihre Füße mit feuchtem Papiermaché nachformen.

Kleine Vögel zum Sitzen, Hängen und Stellen

Es gibt mehrere Möglichkeiten, einen Vogel zu formen. Ganz einfach ist es, ein Ausstechförmchen mit Vogelmotiv zu Hilfe zu nehmen, mit dem wir nach der Anleitung auf Seite 58 den Rumpf eines Vogels formen. Nach dem Trocknen können wir die Kanten mit Papiermaché abrunden und ihm einen kugeligen Bauch geben. Eine weitere Hilfe, einen Vogelrumpf zu formen, sind die unten abgebildeten Zeichnungen, die man durch Abpausen oder Fotokopieren vervielfältigen, nach der Anleitung S. 76 vergrößern und dann ausschneiden kann.

Die Schablonen legen Sie von einer Seite mit Papiermaché aus, lassen sie trocknen und belegen dann die Rückseite. Der geübte Papiermaché-hersteller formt seinen Vogelrumpf allerdings aus freier Hand.

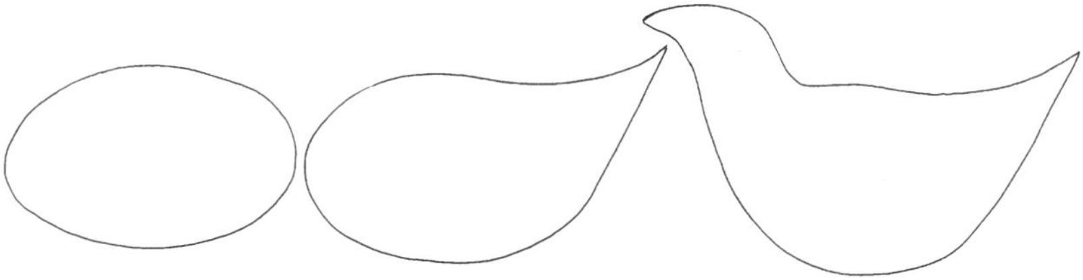

Sie formen eine Kugel von 5 cm Durchmesser zu einem Ei, verjüngen diese an einem Ende zu einem Schwanz, am anderen Ende zum Kopf mit Vogelschnabel.

Gleichgültig, wie Sie den Rumpf Ihres Vogels gearbeitet haben, können Sie ihn nun auch noch auf verschiedene Weise zum Sitzen, Fliegen oder Stehen präparieren. Der sitzende, dickbauchige Vogel wird schon zum Trocknen hingesetzt, so daß seine Bauchunterseite plan auf der Trockenunterlage liegt. Einem kleinen Vogelrumpf stechen Sie ein Holzschaschlikspießchen in die Bauchunterseite und verschmieren die Übergänge gut. Diese Vögel machen sich angemalt gut zusammen mit Blumen in der Vase oder einsam im grünen Blumentopf. Dem fliegenden Vogel bohren Sie eine Drahtschlaufe in den Rücken, verschmieren die Übergänge gut und lassen ihn im Sitzen trocknen. Einem Vogel, der auf zwei Beinen stehen soll, stechen Sie in die

Bauchunterseite zwei gleich lange Holzstäbchen, verschmieren die Übergänge gut und lassen ihn im Liegen trocknen. Danach kleiden Sie die Beine dünn in Papiermaché ein, verpassen ihm an den Übergängen zum Rumpf vielleicht dicke Schenkelchen und formen aus Papiermachékugeln die Füße. Standvermögen erhält der Vogel durch Schleifen oder späteres Ausbessern mit Papiermaché. Allen Vögeln können Sie nach dem Trocknen Flügel, Schwanzfedern oder kleinen Kopfschmuck aus Papiermaché anfügen.

Langbeinige Vögel

Um diese Vögel herzustellen, brauchen Sie einen 80–100 cm langen Holzstab mit einem Durchmesser von 0,5 cm, ein mindestens 2 cm dickes Holzbrettchen, eine Bohrmaschine und eine Stichsäge, um das Brett passend zu schneiden. Sie kopieren und vergrößern die hier abgebildete Schablone eines Vogelkörpers und legen Sie von einer Seite mit Papiermaché aus. Nach dem Trocknen belegen Sie die Rückseite.

Mit dem Fotokopierer können Sie die Zeichnung kopieren und vergrößern.

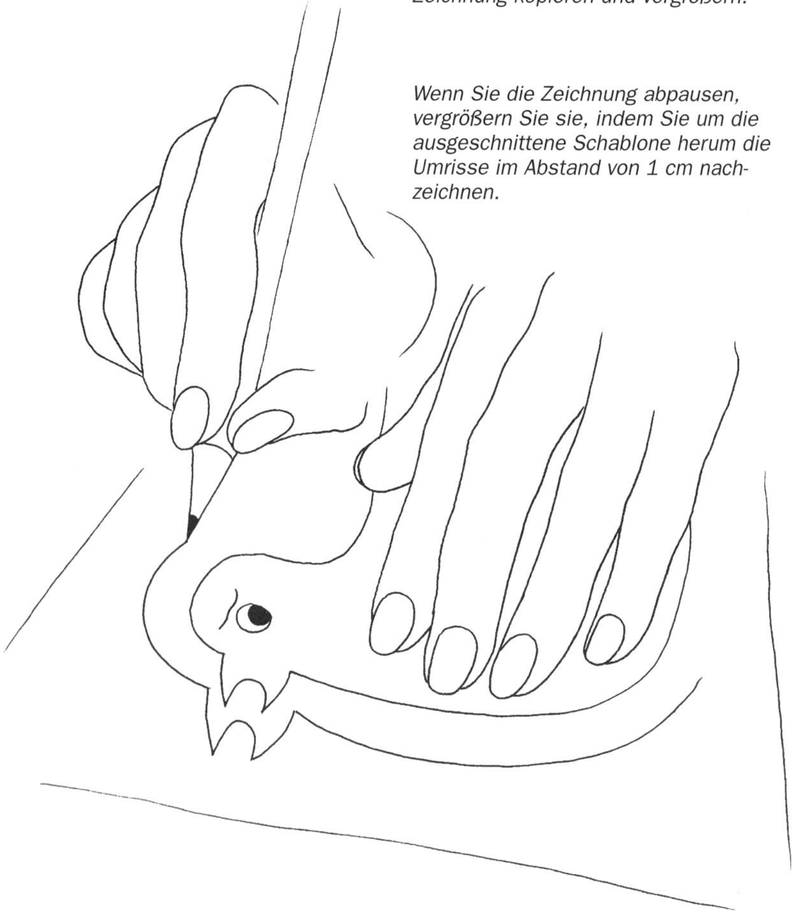

Wenn Sie die Zeichnung abpausen, vergrößern Sie sie, indem Sie um die ausgeschnittene Schablone herum die Umrisse im Abstand von 1 cm nachzeichnen.

Sie modellieren den getrockneten Vogelkörper eine Seite nach der anderen aus. Sie sorgen für Auswölbungen an Kopf und Bauch, geben ihm ausgebreitete oder angelegte Flügel und lassen ihn wiederum trocknen. Inzwischen brechen Sie den Holzstab in der Mitte durch und formen 2 Kugeln von 2 cm Durchmesser. Diese setzen Sie auf je ein Ende der beiden Holzstäbe, verschmieren die Übergänge gut und lassen sie trocknen. Nach dem Trocknen fügen Sie mit feuchtem Papiermaché die Beine an den Rumpf, verschmieren wiederum die Übergänge gut und lassen den ganzen Vogel im Liegen gut durchtrocknen.

Für den Fuß schneiden Sie das Holzbrett zu, das in der Länge und Breite dem Vogelkörper entsprechen muß, damit der fertige Vogel eine gute Standfestigkeit hat. Sie durchbohren dieses Brett mit zwei Löchern in einem Abstand, der dem zwischen den Vogelbeinen entspricht. Der Durchmesser der Löcher richtet sich nach dem der Beine, die Sie in die Löcher stecken. Mit einer Kugel feuchten Papiermachés verschmieren Sie die Übergänge, wo die Beine ins Brett eingelassen sind.

Sollte der Vogel jetzt noch kippen wollen, lassen Sie ihn in angelehntem Zustand trocknen. Danach können Sie das ganze Brett dünn mit Papiermaché überziehen und, wenn Sie wollen, auch noch die Beine des Vogels. Hierbei können auch noch letzte Ausbesserungen und Ausmodellierungen stattfinden.

Enten über Maschendraht

Für Enten, über Maschendraht gearbeitet, brauchen wir einen getrockneten Papiermachéstab von 1–2 cm Durchmesser und 25 cm Länge, Maschendraht, einen Seitenschneider, eine Rundzange, angerührtes Kleisterpulver, eine verbrauchte Glühbirne, Zeitungen und Tesakrepp. Das auf der Zeichnung abgebildete Schnittmuster kopieren und vergrößern Sie und schneiden danach den Maschendraht zu. Sie brauchen nicht genau zu arbeiten, da Maschendraht wunderbar biegsam ist, Überlappungen einfach weggeknickt werden und Löcher oder Dellen später mit Papiermaché ausgeglichen werden können.

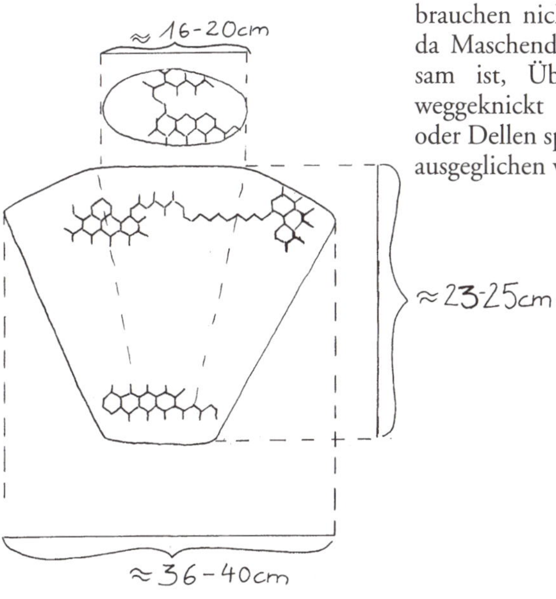

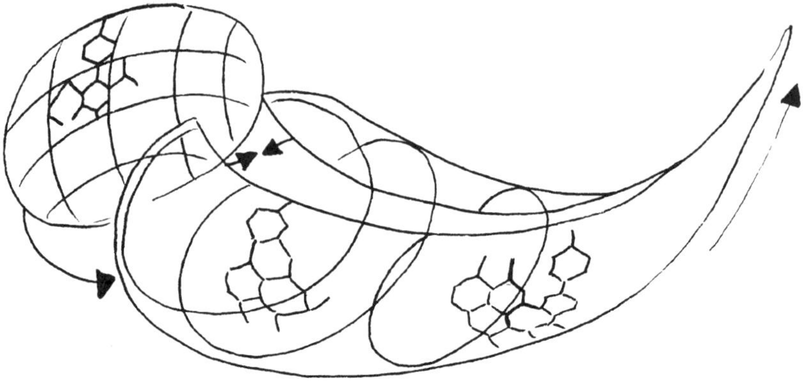

Sie wölben den Entenrumpf rund und schließen die Rückennaht, indem Sie die überstehenden Drahtenden mit der Rundzange miteinander verzwirbeln. Sie wölben die Brust und setzen sie an. Den Entenschwanz drücken Sie platt und biegen ihn rund hoch.

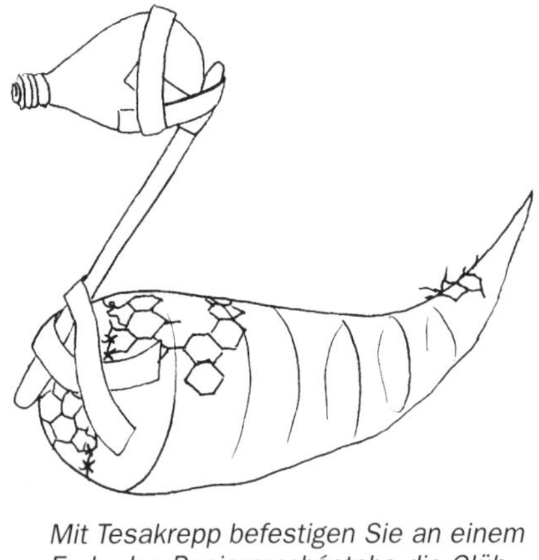

Mit Tesakrepp befestigen Sie an einem Ende des Papiermachéstabs die Glühbirne für den Entenkopf. Das andere Ende des Stabes befestigen Sie vorn an der Entenbrust.

Die mit Kleister eingestrichenen Zeitungen werden auf das Entengerüst in drei bis vier Schichten geklebt. Nach dem Trocknen kleiden Sie die Zeitungsente dünn in Papiermaché ein und modellieren den Entenschnabel an die inzwischen überklebte Glühbirnenfassung. Diese Grund-Entenform können Sie nach dem Trocknen mit Schwanzfedern verschönern, die Sie vielleicht auf einem Spaziergang gefunden haben oder bereits aus Papiermaché vorgearbeitet haben.

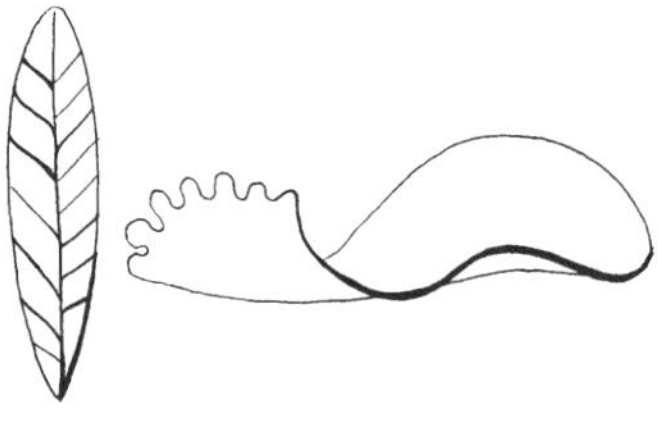

Die Flügel formen Sie aus feuchtem Papiermaché nach eigener Phantasie oder nach der Zeichnung und setzen sie am besten noch feucht an den Entenkörper. Verschmieren Sie die Übergänge gut.

Möchten Sie Ihre Ente nicht sitzen, sondern watscheln lassen, müssen Sie für sie noch Entenfüße, etwa 10 x 10 cm, und Beine von 1–2 cm Durchmesser und 25 cm Länge formen und trocknen lassen.

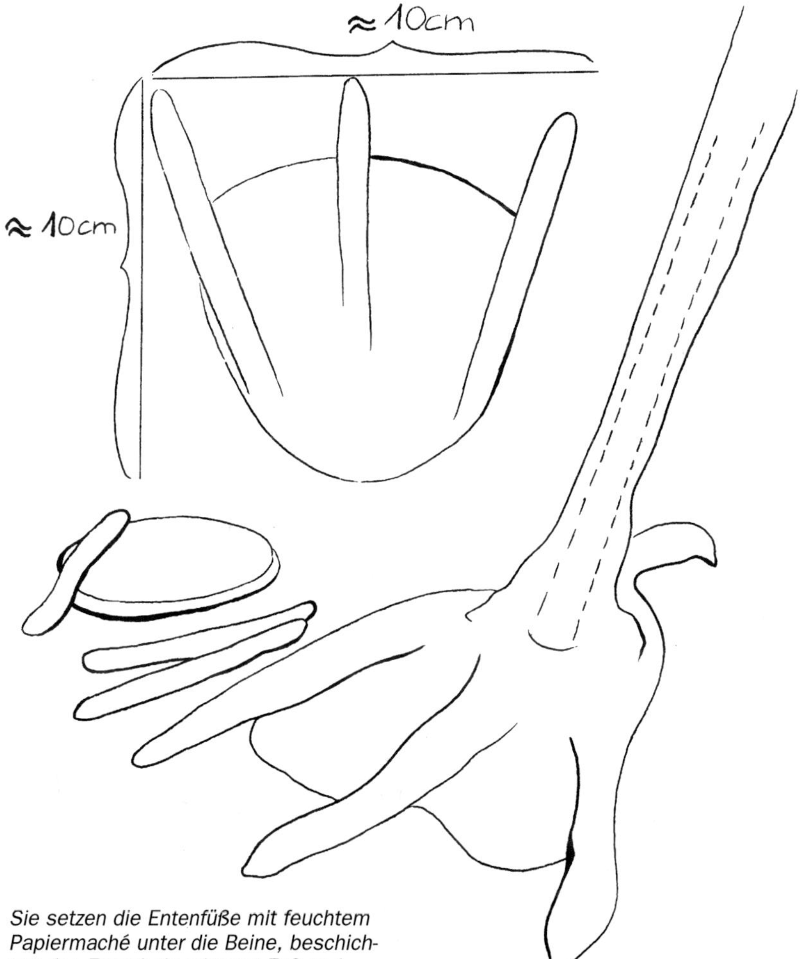

Sie setzen die Entenfüße mit feuchtem Papiermaché unter die Beine, beschichten das Entenbein mitsamt Fuß und setzen einen verkümmerten Daumen an die Entenfußferse.

Die getrockneten Entenbeine werden mit Tesakrepp an den getrockneten Körper fixiert. Aus feuchten Papiermachékugeln werden die Oberschenkel geformt, die Sie als Übergänge zwischen Beinen und Rumpf modellieren.

Lassen Sie die Beine der Ente im Liegen antrocknen. Erst dann können Sie sie zum Stehen bringen, indem Sie unter die Füße noch feuchtes Papiermaché als Ausgleich ansetzen, die Beine noch einmal anbrechen oder die Fußsohlen der Ente schleifen, bis sie darauf stehen kann. Kleine, sitzende Begleitentchen formen Sie nach der folgenden Zeichnung, was in einem Arbeitsgang ohne dazwischenliegende Trockenzeiten zu schaffen ist. Sie müssen dann allerdings nach dem Trocknen noch durch Schleifen oder Überziehen eventuelle Dellen und Runzeln des verschrumpelten Entchens ausgleichen.

Fische

So bunt und vielfältig in der Form wie Vögel sind auch Fische. Sie können sie in allen erdenklichen Größen zum Stellen, Hängen, Legen und Anstecken modellieren.

Kleine Fische zum Hängen, Stellen, Legen

Ähnlich wie Vogelrümpfe lassen sich auch Fischkörper auf verschiedene Art herstellen. Am einfachsten machen Sie sich die Herstellung mit einem Ausstechförmchen nach unserer Anleitung auf Seite 68. Nach den Zeichnungen auf Seite 84 können Sie sich Schablonen herstellen oder Fische aus der Hand formen. Fische, die Sie frei schwebend aufhängen oder auf einen Stab stellen wollen, müssen Sie von beiden Seiten ausmodellieren, wobei erst eine Seite trocken sein muß, bevor Sie

mit der anderen beginnen. Fische, die Sie als Brosche verarbeiten oder an die Wand hängen wollen, brauchen Sie nur von einer Seite zu modellieren. Wollen Sie Ihren Fisch mit einer besonders schönen, geschwungenen Rückenflosse schmükken, rate ich Ihnen, sie erst nach dem Trocknen des Fischrumpfs diesem anzumodellieren. Fischen, die Sie nach dem Anmalen aufhängen möchten, bohren Sie in feuchtem Zustand schon ein Loch in die Rücken- oder Schwanzflosse oder ins Maul. Eine kleine Drahtschlinge an den entsprechenden Stellen ist ebenfalls eine gute Hängevorrichtung. Kleinen Fischen können Sie in feuchtem Zustand ein Holzspießchen von unten in den Bauch stechen, damit Sie sie später in Blumentöpfe oder Vasen stecken können. Ein der Länge und Breite des Fisches entsprechendes Holzbrettchen dient dem Fisch als Fuß. Sie bohren ein Loch hinein und stecken darein das Holzstäbchen, auf dem der Fisch schon angetrocknet ist. Der Fuß und das Holzstäbchen mit dem Übergang zum Fisch werden dünn mit Papiermaché überzogen.

Große Fische über Maschendraht

Für große Fische brauchen wir Maschendraht, einen Seitenschneider, eine Rundzange, Zeitungspapier und angerührtes Kleisterpulver. Sie kopieren und vergrößern nach der Anleitung auf Seite 76 das unten abgebildetete Schnittmuster und schneiden beide Formen aus Maschendraht zweimal zu.

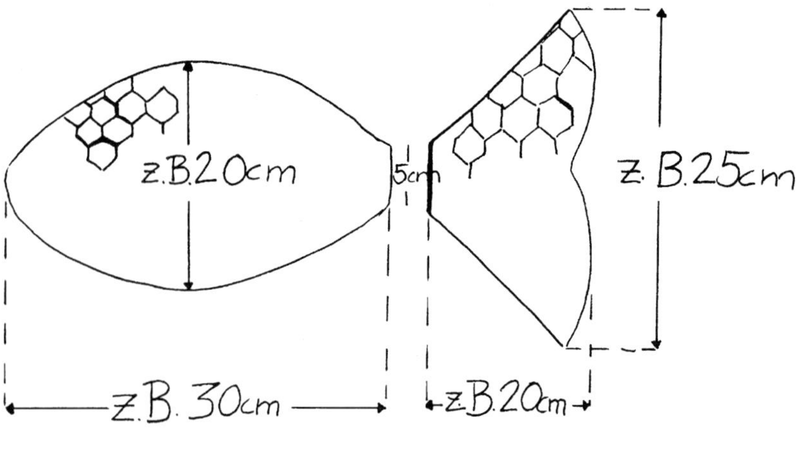

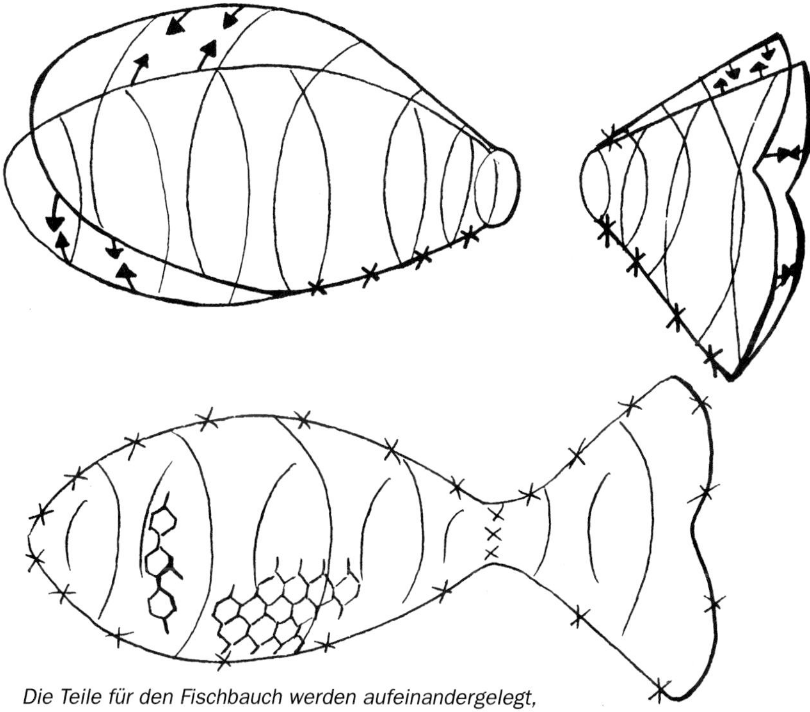

Die Teile für den Fischbauch werden aufeinandergelegt, gewölbt und an den Nähten die Drahtenden mit der Rundzange verzwirbelt. Die Schwanzflossenteile werden aufeinandergelegt, an den Außennähten miteinander verklammert und dann am Rumpf befestigt.

Möchten Sie einen platten Fisch arbeiten, genügt es, wenn Sie die Maschendrahtteile nur einmal zuschneiden und die Schwanzflosse am Fischbauch befestigen. Ob platt oder gewölbt, überkleben Sie den Drahtfisch mit zwei bis drei Schichten eingekleisterter Zeitung und modellieren ihn nach dem Trocknen mit Papiermaché nach freier Phantasie oder folgender Zeichnung.

Beim Modellieren müssen Sie die Geduld aufbringen, erst eine Seite trocknen zu lassen, bevor Sie mit der nächsten anfangen. Diese großen Fische wirken sehr schön, wenn Sie frei schwebend von der Decke hängen. Dafür sollten Sie ihnen schon in feuchtem Zustand ein Loch in die Rückenflosse bohren, durch das Sie nach dem Anmalen eine Drahtschlaufe ziehen können, um sie an einem unsichtbaren Faden an die Decke zu hängen. Besonders hübsch wirken die Fische auch als Standskulptur. Dafür brauchen Sie ein 2 cm dickes Holzbrett, das in Höhe und Breite dem Rumpf des Fisches vom Hals bis zum Schwanzflossenansatz entspricht, und einen 100 cm langen, 0,7 cm – 1 cm dicken Holz- oder Bambusstab. Diesen bohren Sie dem Fisch am

besten schon ins Drahtgeflecht in die Bauchunterseite. Den Übergang zwischen Stab und Fischbauch fixieren Sie mit Tesakrepp und arbeiten den Fisch wie oben beschrieben weiter. In die Mitte des Holzbretts bohren Sie ein Loch mit einem dem Holzstab entsprechenden Durchmesser. Sie stecken den Holzstab, an dem der Fisch inzwischen getrocknet ist, hinein und fixieren den Übergang zwischen Fuß und Holzstab mit feuchtem Papiermaché.
Zum Trocknen lehnen Sie die Skulptur so an, daß sie gerade steht. Nach dem Trocknen überziehen Sie den Fuß, den Stab und die Übergänge zum Fisch, eventuell sogar den ganzen Fisch dünn mit Papiermaché und lehnen ihn zum Trocknen wiederum an. Danach können Sie, wenn Sie möchten, den Fuß und den verkleideten Stab mit allerlei Beiwerk schmücken, z. B. mit Spiegel- und Glasscherben, Murmeln, Muscheln oder aus Papiermaché hergestellten Blumen und Fischen. Diese Dinge bringen Sie mit feuchtem Papiermaché an, wie wir es schon bei unseren Schalen gelernt haben.

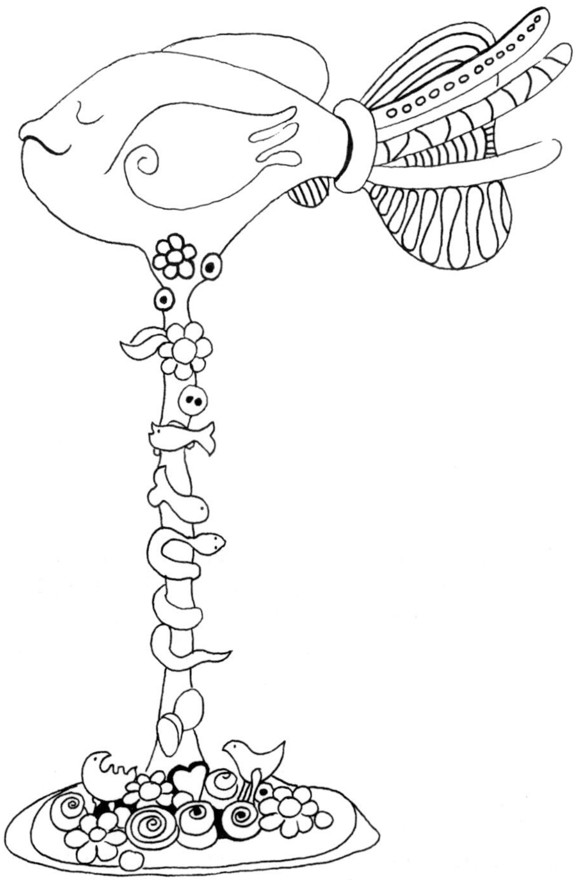

Katzen

Meine Lieblingstiere sind Katzen. Ich denke, die Freude an diesen eigenwilligen Wesen werden viele mit mir teilen. Deshalb möchte ich der Herstellung kleiner bunter Katzen aus Papiermaché mein letztes Kapitel widmen. Sie werden ihren Freunden, selbst wenn sie noch keine Katzenliebhaber sind, damit viel Freude bereiten.

Sie brauchen Zeitungspapier, Papiermaché und Silberdraht. Kopf, Rumpf, Beine und Schwanz werden einzeln geformt, getrocknet und danach erst zu einer Katze zusammengesetzt. Für den Rumpf knautschen Sie eine Zeitungsseite zu einem Ei zusammen und kleiden dieses rundum in Papiermaché. Vier 15 cm lange, 1 cm dicke Würste aus Papiermaché lassen Sie für die Beine trocknen. Eine 0,7 cm dicke, 10 cm lange sich verjüngende Wurst legen Sie zum Trocknen zu einem Halbkreis. So erhalten Sie einen freundlich grüßenden Katzenschwanz. Der Kopf wird den folgenden Zeichnungen entsprechend geformt.

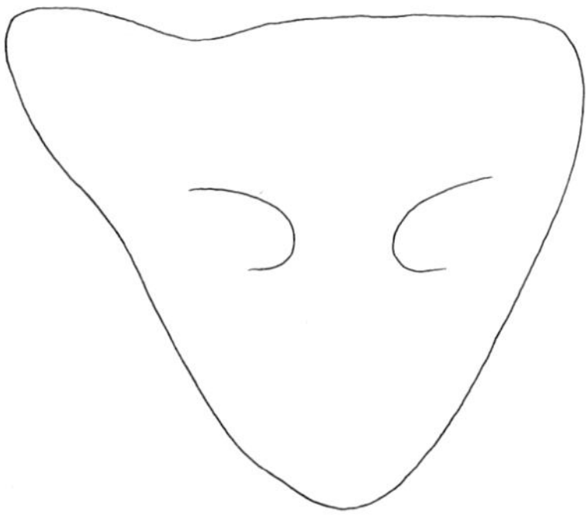

Sie drücken eine Papiermachékugel mit etwa 2 cm Durchmesser zu einer Scheibe platt und formen daraus ein Dreieck, wobei Sie zwei Ecken länger ziehen und ein wenig zu Katzenohren abrunden. Für die Augen drücken Sie mit den kleinen Fingern schräge Höhlen ein.

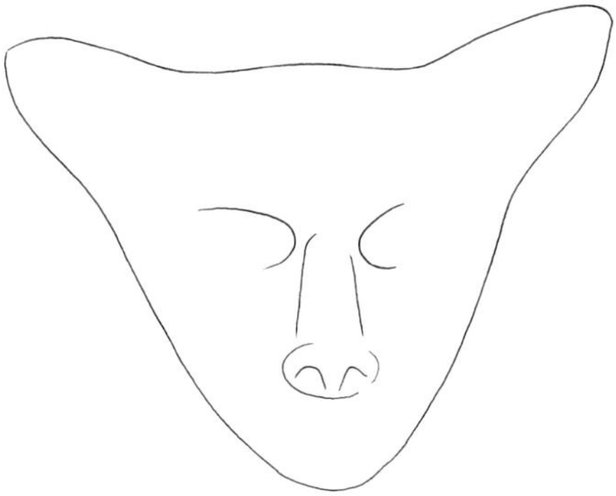

Für die Katzennase formen Sie eine etwa 1 cm lange Wurst mit einem Durchmesser von ungefähr 0,5 cm. Diese setzen Sie dem Katzenkopf mitten ins Gesicht und verschmieren an den Seiten die Übergänge mit einem Modelliermesserchen. An die Nasenspitze drücken Sie ein kleines Kügelchen, in das Sie die Nasenlöcher bohren.

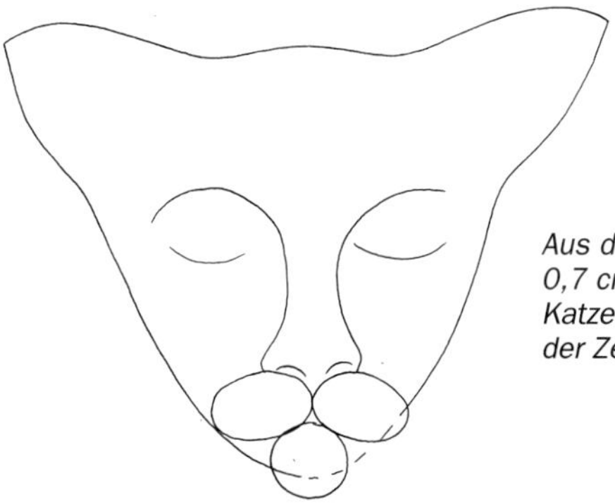

Aus drei Papiermachékugeln von etwa 0,7 cm Durchmesser setzen Sie die Katzenschnauze zusammen, wie auf der Zeichnung abgebildet.

Soll die Katze ihren charakteristischen Schnurrbart erhalten, schneiden Sie drei Silberdrähte von 10 bis 15 cm Länge zu. Diese bohren Sie der Katze durch die Schnauze und drücken sie noch einmal kräftig nach. Wenn alle Übergänge weich ausmodelliert sind, kann der Katzenkopf nebst allen anderen Teilen zum Austrocknen an einem warmen Plätzchen ruhen.

Danach erst werden die Beine mit feuchtem Papiermaché am Rumpf befestigt, wobei Sie der Katze dicke Oberschenkel und einen etwas stärkeren Brustkörper modellieren können. Sind die Beine mit dem Rumpf fest verwachsen, formen Sie aus Kugeln die Katzenpfötchen und gleichen damit eventuelle Höhenunterschiede zwischen den Beinen aus. Kopf und Schwanz werden befestigt, wenn die Katze gut steht. Zum Schluß werden noch alle Übergänge weich ausmodelliert, dann kann die Katze trocknen und bald durch kräftige Farben zum Leben erweckt werden.

Liegende Katzen arbeiten Sie, indem Sie einfach Auswölbungen für die Oberschenkel, einen liegenden Schwanz und zwei Vorderpfötchen in einem Arbeitsgang an den Rumpf modellieren. Gleichzeitig wird auch der getrocknete Kopf befestigt.

Papiermaché – Ideen ohne Ende

Hat es Ihnen Spaß gemacht, aus Altpapier ein Material zu schöpfen, das Sie so vielfältig für Ihre kreativen Ideen verwenden können? Dann möchte ich Sie zum Schluß noch zu weiteren Werken anregen, die Sie aus Papiermaché herstellen können. Zu Weihnachten und zu Ostern lohnt es sich, einen großen Topf mit Kleister,Wasser und Altpapier anzurühren. Sie können Anhänger, Hasen, Engel, Eier, Kugeln, Weihnachtsmänner, Kerzenhalter, Kränze und kleine Bäume herstellen. Mit Marionetten, Puppen und Kasperlefiguren überraschen Sie nicht nur Kinder. Wer überhaupt keine Mühen scheut, der stellt sich schließlich seine Möbel selbst aus Papiermaché her. Entdecken sie ihre künstlerische Kraft – dann werden Sie Skulpturen schaffen, die Ausdruck Ihrer eigenen Phantasie und Vorstellungskraft sind. Papiermaché setzt Ihnen da keine Grenzen.

Register

Weitere Titel aus dem humboldt-Programm zum Thema Freizeit & Hobby

Fotografie

Fotokurs	*ht 475*
Der große Humboldt-Farbfotokurs	*ht 934*

Kartenspiele

1x1 der Kartenspiele	*ht 199*
Skat – Regeln und Tips	*ht 248*
Bridge	*ht 273*
Patiencen legen	*ht 293*
Schafkopf + Doppelkopf	*ht 481*
Zaubern mit Karten	*ht 613*

Künstlerisches Gestalten

Aquarellmalerei	*ht 426*
Schöne Schriften	*ht 508*
Seidenmalerei	*ht 509*
Karikaturen zeichnen	*ht 637*
Origami	*ht 716*
Geschenke verpacken mit Phantasie und Ökologie	*ht 732*

Pflanzen

Die schönsten Zimmerpflanzen	*ht 428*
Das große Biogarten-Buch	*ht 940*

Quiz

Kino-Steckbriefe	*ht 727*
Musik-Steckbriefe	*ht 728*
Wie viele Doktorhüte hatte Einstein?	*ht 731*

Spiele

Schach für Anfänger	*ht 085*
Spaß mit Tests	*ht 195*
Billard	*ht 419*
Schach für junge Leute	*ht 479*
Backgammon für Anfänger	*ht 667*
Poolbillard	*ht 730*

Tiere

Wie erziehe ich meinen Hund?	*ht 371*
Mit Pferden richtig umgehen	*ht 427*
Meine Wohnungskatze	*ht 536*
Was will meine Katze mir sagen?	*ht 557*
Meine kranke Katze	*ht 611*

Verschiedenes

Kreuzworträtsel-Lexikon	*ht 091*
Angeln und Fischen	*ht 206*
Gästebuch und Poesiealbum	*ht 287*
Tanzen	*ht 362*
Die schönsten Kegelspiele	*ht 487*
So macht Tanzen noch mehr Spaß!	*ht 685*
Einfach aus der Luft gegriffen/Jonglierkurs	*ht 729*
HARDY's Zauberbuch	*ht 951*
Das große Buch der Standardtänze	*ht 965*
Das große Buch der lateinamerikanischen Tänze	*ht 966*
Das Motorradbuch für Frauen	*ht 968*

Video

Das große 1x1 des Video-Filmens	*ht 931*
Video für Könner	*ht 941*
Praxishandbuch Video & Computer	*ht 952*